——キャプテンシリーズ1——

キャプテンはつらいぜ

後藤竜二／作　杉浦範茂／絵

講談社 青い鳥文庫

もくじ

BLACK CAT
BLACK CAT

1 ぺしゃんこのりんご

一学期《がっき》が終《お》わった。

通信簿《つうしんぼ》をもらった。

そっとのぞいてみたら、算数《さんすう》が〈4〉になってた。

信《しん》じられなかった。

みんなは、オール5の吉野《よしの》くんのほうを、ため息《いき》まじりにながめてる。ななめ後《うし》ろの席《せき》のハーコだけが、首《くび》をのばして、ぼくの通信簿《つうしんぼ》をのぞいてた。

あわててぱっとかくしたけど、おそかった。すっかり見《み》られちゃったらしい。ハーコはにっとわらって、ちいさくV《ブイ》サインを送《おく》ってよこした。

（やったぜ！）

と、ぼくもちいさくV《ブイ》サインを返《かえ》した。

ハーコになら、見《み》られたってかまわない。ちびのころからのつきあいだし、野《や》球《きゅう》ばかりやってるぼくのこと心配《しんぱい》して、麦塾《むぎじゅく》にさそってくれたのも、ハーコだった。

去年《きょねん》の秋《あき》、ハーコにさそわれていった麦塾《むぎじゅく》の先生《せんせい》が、二十五さいのゴロさんだった。ぼくはゴロさんが気《き》に入《い》って、いわれるとおりに十五分間《ふんかん》勉強法《べんきょうほう》を続《つづ》けてきた。

「半年《はんとし》続《つづ》ければ、成果《せいか》はあるよ。」

と、ゴロさんは自信《じしん》たっぷりにいった。

そして、いま、そのとおりになった。

（そうだ、ゴロさんのおかげだ。）

早《はや》く帰《かえ》って、ゴロさんに知《し》らせてやりたかった。

それで、先生《せんせい》の長《なが》い話《はなし》が終《お》わるとすぐに、教室《きょうしつ》をとびだした。

ろうかは、ほかの組《くみ》の子《こ》たちで、ごったがえしていた。

ぼくらの町内《ちょうない》の野球《やきゅう》チーム、ブラック＝キャットの洋太《ようた》くんと弓削《ゆげ》くんが待《ま》ちかまえていて、「どうだった？」と、きいてきたけど、ぼくはみっともないくらいはしゃいじゃって、

「オーケー、オーケー、二時《じ》に川原《かわら》でな。」

なんて、練習《れんしゅう》のことに話《はなし》をそらして、二人《ふたり》をふりきった。

肥満《ひまん》ぎみの洋太《ようた》くんも、のっぽの弓削《ゆげ》くんも、野球《やきゅう》はだめだけど、勉強《べんきょう》はぼくよりできる。〈算数《さんすう》４〉なんて、きっと、めずらしくもないにちがいない。ぼくは生《う》まれてはじめてだし、このかんげき、二人《ふたり》にはちょっとわかってもらえそうにもなかった。

なんとか洋太《ようた》くんと弓削《ゆげ》くんをふりきったら、こんどは、吉野《よしの》くんが追《お》ってきた。

「二時《じ》に川原《かわら》でな。」

と、ぼくはまたにげようとしたけど、吉野《よしの》くんはしんけんな表情《ひょうじょう》で、がっちりぼくのうでをつかまえた。

「ピッチャーのことだけど、ぼくひとりじゃ、責任《せきにん》もてないぜ。」

と、吉野《よしの》くんはいった。吉野《よしの》くんは、勉強《べんきょう》だけじゃなく、スポーツも万能《ばんのう》だ。五年生《ねんせい》だけ

ど、ブラック＝キャットのエースだ。たよりない六年生《ねんせい》たちに、ずっと不満《ふまん》をもってい
た。とくに、「リリーフじゃ、しようがねえや。」と、このあいだチームをやめていった六
年生《ねんせい》のたいどには、ひどく心《こころ》をいためているようだった。
「わかってるよ。きょうのミーティングで、六年生《ねんせい》たちに、がっちり文句《もんく》いおうよ。」
もちろん、ぼくだって、だらしない六年生《ねんせい》に不満《ふまん》はあった。だけど、いま、ぼくの声《こえ》は、
すっかり〈算数《さんすう》４〉にうかれてた。
「ほんとに、責任《せきにん》もてないぜ。」
吉野《よしの》くんはまだなんかいいたそうだったけど、あきらめたようすで、ぼくのうでをはな
した。
「じゃあな。」
と、ぼくは階段《かいだん》をおりかけた。とたんに、
「ユーっ！」
と、どなり声《ごえ》がとんできた。
「また、おそうじサボるつもりーっ！」

ほうきをふりあげて、ハーコがすっとんでくる。みんなが、びっくりして道《みち》をあけてる。

（ちっとは、女《おんな》らしくしろよな、まったく！）

ぼくはあばよとハーコに手《て》をあげて、タタタと階段《かいだん》をかけおりた。最後《さいご》の五段《だん》くらいは、えいと、とんだ。すると、ハーコが、キエーなんてひどい声《こえ》をあげたから、ショックで着地《ちゃくち》に失敗《しっぱい》してしまった。コンクリートの階段《かいだん》のかどに、ゴツと、びてい骨《こつ》を打《う》ちつけてしまった。息《いき》がとまりそうなほどいたかった。

「ざまあごらん。」

はっはっと、ハーコが階段《かいだん》の上《うえ》で、こしに手《て》をあててわらってた。洋太《ようた》くんと弓削《ゆげ》くんもかけよってきて、わらってる。吉野《よしの》くんは、うんざりしたような表《ひょう》情《じょう》で、ぷいといってしまった。

気《き》にしない、気《き》にしない——〈算数《さんすう》4〉だもの！

麦塾《むぎじゅく》に向《む》かって走《はし》った。にたこらしながら、たまにびてい骨《こつ》をなでさすったりして、わっせ、わっせと走《はし》った。

人通《ひとどお》りのすくないお化《ば》けビルのあたりで、ひと息《いき》いれた。工事《こうじ》が中止《ちゅうし》になって、建《た》てかけのままぼろぼろになってる、柱《はしら》と床《ゆか》だけの四階《かいだ》建てビルだ。

はっはっとあえぎながら、ぼくはバッグの中《なか》の通信簿《つうしんぼ》を、またそうっとのぞいてみた。

算数《さんすう》４——ぜったいに、まちがいない。

顔《かお》が、ひとりでに、しまりなくにたあとしてしまう。もう、どんなことでも、すいすいやってしまえそうな気分《きぶん》だった。

（よし、きっと、優勝《ゆうしょう》するぞ。）

万年最下位《まんねんさいかい》のブラック＝キャットのことを考《かんが》えて、でれえとしたほっぺたをピシャンとたたいた。

（だらけた六年生《ねんせい》をしめて、猛練習《もうれんしゅう》だ！）

意気《いき》ごんでまた走《はし》りだそうとしたら、

「なににやけてやがんだよ。」

とつぜん、頭《あたま》の上《うえ》から声《こえ》がした。

あたりには、だれもいないと思《おも》ってたから、ぼくはひどくびっくりして、お化《ば》けビルを

4

ふりあおいだ。

二階《かい》に、秀治《ひでじ》がいた。となりには、ケンがいた。二人《ふたり》ならんで、落書《らくが》きだらけの柱《はしら》にもたれかかって、かったるそうに青《あお》いりんごをかじってる。

二人《ふたり》とも、ぼくと同《おな》じ町内《ちょうない》の五年生《ねんせい》だ。去年《きょねん》こしてきたばかりのケンのことはよく知《し》らないけど、秀治《ひでじ》とはちびのころからの友《とも》だちだった。ぼくらは、よくこのあたりで、キャッチボールをしたり、ビルにのぼったりして遊《あそ》びまわった。それが、三年生《ねんせい》のころから、組《くみ》が変《か》わったこともあったし、ぼくがブラック＝キャットに熱中《ねっちゅう》しはじめたこともあって、あまりつきあわなくなった。そして、去年《きょねん》、秀治《ひでじ》はこしてきたばかりのケンといっしょに、スーパーで万引《まんび》きをしてつかまった。そのころから、学校《がっこう》もサボったりするようになって、このごろでは、中学生《ちゅうがくせい》の番長《ばんちょう》グループとつきあったりもしているようだった。

会《あ》ったら、あいさつくらいはするけど、ぼくも、なんとなく敬遠《けいえん》するようになってしまっていた。

(万引《まんび》きくらいでぐれるなんて、ばかだよ。)

と思《おも》うけど、ちびのころみたいに、もう、口《くち》にだしてはいえなかった。

「おす。」

と、手《て》をあげただけで、ぼくはいってしまおうとした。——すると、

「また、へぼ野球《やきゅう》か。」

と、秀治《ひでじ》がいった。秀治《ひでじ》のほうから、そんなふうに声《こえ》をかけてくるなんてこと、なかった
から、ぼくはちょっとどぎまぎして、

「麦塾《むぎじゅく》にいくんだ。」

といった。

「おまえも、気《き》がむいたら、こいよ。」

いっぺんいってやろうと思《おも》ってたことばが、すらっと口《くち》からでた。きっと、〈算数《さんすう》4〉

のせいにちがいない。

「あそこのゴロさんてのは、はなせるんだぞ。月謝《げっしゃ》もたったの三千円《えん》だしな。」

「ふざけたやろうだなあ。」

と、ケンがさえぎって、りんごのかすをはきかけた。

「なんだよ、こいつ。あんなこと、いわせといていいのかよ? ぶっとばしちゃおうか?」

とびかかっていこうとするケンを、秀治《ひでじ》がわずかなそぶりで、とめた。そして、左手《ひだりて》で、モーションも見《み》せずに、食《た》べかけのりんごを、いきなりビュッと投《な》げつけてきた。

りんごはすごい勢《いきお》いで、ぼくの顔《かお》のどまん中《なか》めがけてとんできた。はっとわずかによけたとたんに、りんごはアスファルトの道《みち》にぶちあたって、ぐしゃっとつぶれた。

(秀治《ひでじ》が、おれに向《む》かって投《な》げたんだ――!)

ぺしゃんこのりんごを見《み》つめて、ぼくは立《た》ちすくんでいた。

「うせやがれ!」

と、秀治《ひでじ》がわめいた。

「センテキ(先生《せんせい》)みたいな口《くち》きくな!」

ぞっとするような目《め》つきで、にらんだ。

(ほんとに、ぐれちゃったんだな――!)

アスファルトにはりついたりんごと、ビルの二階《かい》の秀治《ひでじ》を交互《こうご》に見《み》て、ぼくはぶざまにおたおたとあとずさった。

(もう、友《とも》だちでもなんでもない!)

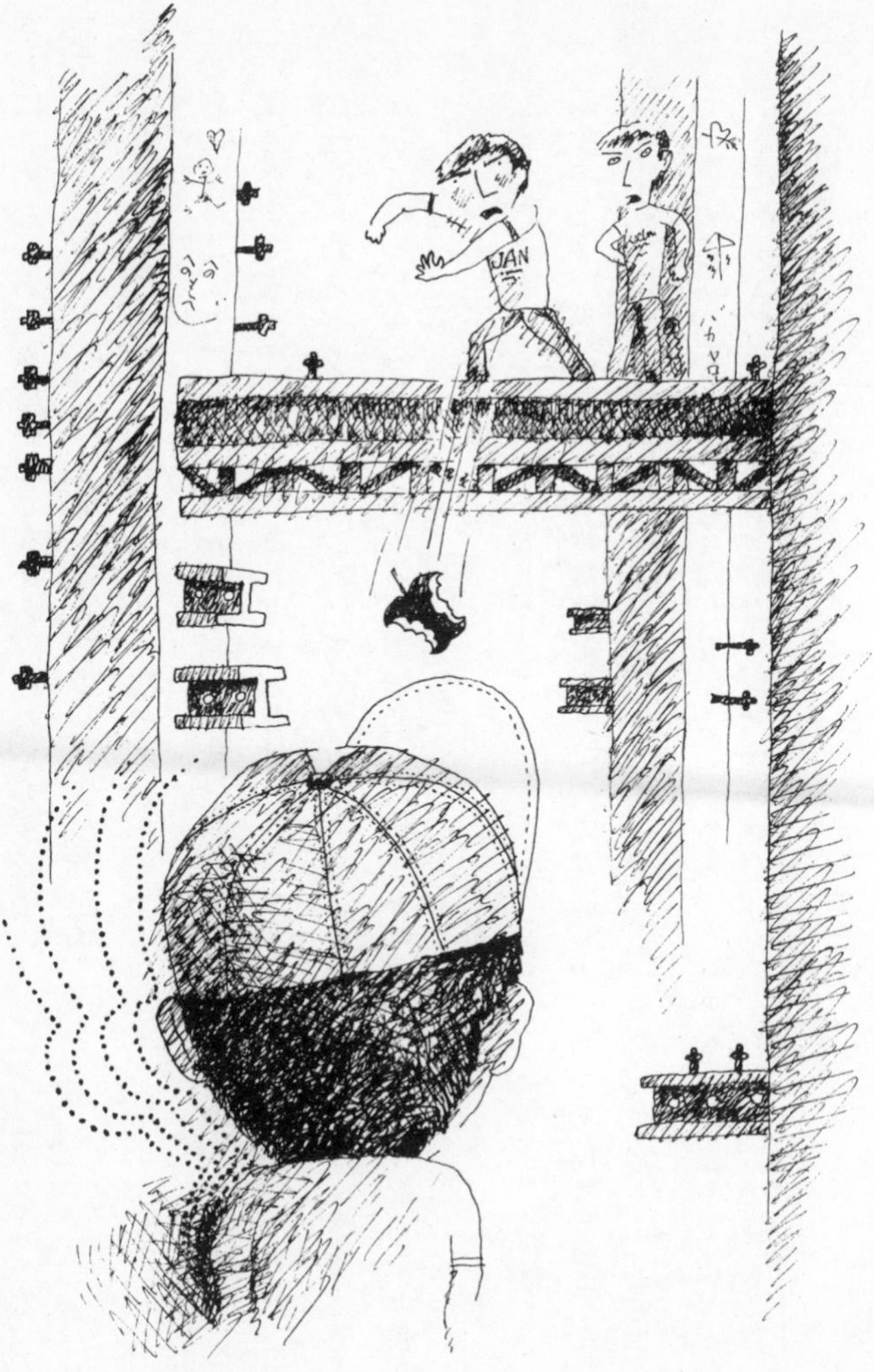
JAN

全身《ぜんしん》につめたいあせをふきだしながら、それでも、せいいっぱいの虚勢《きょせい》をはって、くるりと二人《ふたり》に背《せ》をむけ、ぼくは麦塾《むぎじゅく》への道《みち》をゆっくりと歩《ある》きだした。

(あんなやつ、かってにぐれて、くたばっちまえ!)

その背《せ》に、りんごじゃなく、こんどは、石《いし》かナイフがとんでくるんじゃないかと、本気《ほんき》でそんなことまで考《かんが》えて、全身《ぜんしん》がざわざわと鳥《とり》はだ立《だ》った。

ケンがせせらわらって、なんかわめいていたけど、なにをいってるのか、ききとるどころじゃなかった。ビルのかどを曲《ま》がるまでの七、八メートルが、気《き》の遠《とお》くなるほど長《なが》かった。

(あんなやつのこと、もう、しらねえや!)
三、四年《ねん》のとき、秀治《ひでじ》と同《おな》じ学級《がっきゅう》だったハーコのように、あいつを学校《がっこう》にさそったり、宿題《しゅくだい》を教《おし》えにいってやったりしたわけでもないのに、ぼくは一人《ひとり》でかっかして、
(ほんと、いいこぶっちゃって、くだらないこと、べらべらしゃべっちまった!)

ううとか、ああとか、ときどき、意味《いみ》もないうなり声《ごえ》をあげながら、また麦塾《むぎじゅく》に向《む》かって走《はし》りだした。

2　麦塾《むぎじゅく》にこないやつはかわいそう

麦塾《むぎじゅく》は電気器具会社《でんききぐがいしゃ》の倉庫《そうこ》の二階《かい》にある。

倉庫番《そうこばん》もかねて住《す》みついたゴロさんが、去年《きょねん》の九月《がつ》にはじめたばかりの塾《じゅく》だ。

〈きたれ！　やる気《き》のない諸君《しょくん》！〉

ガリ版刷《ばんず》りのちらしに、どうどうとそんな文句《もんく》が書《か》いてあった。

〈当方《とうほう》、小学校教師《しょうがっこうきょうし》をめざして浪人中《ろうにんちゅう》。〉

ゴロさんの大学《だいがく》はあまり有名《ゆうめい》でなくて、それを六年《ねん》もかかって卒業《そつぎょう》したらしい。そんなことぼけてればいいのに、わざわざ宣伝《せんでん》するものだから、どらねこ横町《よこちょう》のおんぼろ塾《じゅく》な

んて、すっかり有名《ゆうめい》になった。それで、さっぱりはやらない。

通《かよ》ってるぼくら、はじめは、ほんとに肩身《かたみ》がせまかった。

でも、やめてったやつは、一人《ひとり》もいない。

ゴロさんは、ぼくらができない原因《げんいん》を、ガリ版《ばん》刷りの独特《どくとく》のテストで、ぴたっと当《あ》ててくれる。そして、その原因《げんいん》を取《と》りのぞくために、わかりやすく、しんぼう強《づよ》く教《おし》えてくれる。一人一人《ひとりひとり》にぴったりの勉強法《べんきょうほう》まで教《おし》えてくれる。

「おまえはね、十五分間《ふんかん》ずつ、こまぎれに勉強《べんきょう》してみな。」

そんなふうに、いう。そして、みんな、いつのまにかやる気《き》にさせられちゃう。

やせてひょろんと背《せ》が高《たか》くて、いつもぷかあとたばこばかりすってるゴロさんが、はじめはなんだかたよりなかったけど、

(麦塾《むぎじゅく》にこないやつはかわいそうだ。)

と、このごろでは、そう思《おも》うようになった。

(あいつだって、ほんとに、いっぺん、麦塾《むぎじゅく》にきてみればいいんだ。)

秀治《ひでじ》も、勉強《べんきょう》はだめだ。できないって、ほんとにつらい。

（あんなことしてたら、ますます勉強《べんきょう》わからなくなって、そのうち、本物《ほんもの》の暴力団《ぼうりょくだん》になっちゃうぞ！）

倉庫《そうこ》の鉄《てつ》の階段《かいだん》を、コトンコトンとあがった。

あがりきると、ドアをあけはなした麦塾《むぎじゅく》から、わっとみんなのわらい声《ごえ》がきこえてきた。

三、四年生《ねんせい》が、もう集《あつ》まっているらしい。

ぼくの足《あし》はしぜんに小走《こばし》りになって、

「ただいま！」

と、麦塾《むぎじゅく》にとびこんだ。

このへんは、たいてい共働《ともばたら》きだから、いまごろ家《いえ》に帰《かえ》ってもだれもいない。だから、塾《じゅく》のある日《ひ》でなくても、まず麦塾《むぎじゅく》にちょこっと顔《かお》をだして、それぞれの家《いえ》にもどる。ゴロさんとばか話《ばなし》したりしてからもどるのが習慣《しゅうかん》になっていた。

「おう、早《はや》かったな。」

と、ゴロさんがいった。

居間《いま》兼台所《けんだいどころ》のがらんとした十二畳間《じょうま》に、そまつなつくえが二つ、折《お》りたたみ式《しき》のいすが七つ、ならんでいるだけだ。四日《よっか》に一度《ど》くらい、ハーコがお店《みせ》から持《も》ってくる花《はな》だけが、ちょっと場《ば》ちがいなくらいごうかにかざられている。

その花《はな》をかこむようにして、四、五人《にん》の三、四年生《ねんせい》たちが、カップラーメンをすすりながら、意味《いみ》ありげに、ちらちらぼくを見《み》てわらってた。

「なんだよ?」

と、みんなを見《み》まわしたら、

「ユーさん、びてい骨《こつ》、だいじょぶですか。」

と、四年《ねん》の誠《まこと》が、大《おお》きなめがねをおしあげて、くそまじめな顔《かお》で、ぼくのおしりをのぞきこんだ。食料品店《しょくりょうひんてん》丸二《まるに》の子《こ》で、補欠《ほけつ》だけど、ブラック=キャットのメンバーだ。

「なんだよ、おまえ、見《み》てたのか。」

わすれてたいたみが、ずきんともどってきて、ぼくはおしりをなでさすった。

「ちがうよ。見《み》てたのは、ぼく。」

と、ケラぼうがいった。同《おな》じく四年《ねん》で、ブラック=キャットの補欠《ほけつ》。

「それで、つぶれちゃったから、もうだめだ。ぼくがかわりにショートになるって、大《おお》いそぎで知《し》らせにきたんだよね。そしたら、誠《まこと》がさ、大《おお》まじめでさ、後《うし》ろだからだいじょぶだって。」

わっと、みんながまたわらった。

「そんなことでわらってたのかよ。おまえら、ほんと、まずしいなあ。」

まずしいというのは、ゴロさんの口《くち》ぐせで、それが、ぼくにうつってしまった。

「もうちょっとさあ、格調高《かくちょうたか》い話題《わだい》はないの？　人生《じんせい》とはなんぞやとかさ。」

「ユーさん、ほんとに、後《うし》ろでよかったですね。」

と、誠《まこと》はしつこい。

「いいかげんにしろよ、おまえ。——ゴロさん、もうラーメンないの？」

「ないよ。誠《まこと》のさしいれだからね。」

ゴロさんは危険《きけん》を察《さっ》して、残《のこ》ったラーメンをきゅうにがつがつと口《くち》におしこんでしまった。

「三つも食《た》べたんだよ。ゴロさんがいちばんまずしいよ。」

と、ケラぼうがまたけらけらわらった。ほんとに、ちょっとしたことでも、ひどくおかしそうにわらう。そのたびに、きれいな前歯《まえば》が二本《ほん》、のぞく。それがじまんらしい。

「半年《はんとし》も前《まえ》の売《う》れ残《のこ》りだから、ぼくはひとつも食《た》べませんでしたけどね。」

と、誠《まこと》がゴロさんの食《た》べ終《お》わるのを見《み》て、ぶきみににやっとわらった。

「なにい。」

と、ゴロさんが立《た》ちあがった。たたみのしいてある三畳間《じょうま》にすっとんでいって、おしいれから薬《くすり》を取《と》ってきた。がらくたやら、せんたく物《もの》やらが、めちゃくちゃにおしこまれているのに、必要《ひつよう》なものは、なんでもぱっと取《と》ってくる。

「おまえ、日本《にっぽん》の教育界《きょういくかい》をせおって立《た》つ男《おとこ》を、暗殺《あんさつ》する気《き》か！」

黒《くろ》い丸薬《がんやく》を三《み》つぶ、水《みず》なしでごくんと飲《の》んだ。

「あ、ばかだねえ、――本気《ほんき》にしちゃってんの。」

みんながあきれてる。

「ちゃんと日付《ひづけ》を見《み》なさいよ。わずか三日《みっか》前《まえ》の製造《せいぞう》じゃないのさ。」

「なにい、なにい！」

と、ゴロさんはからのカップを見《み》つめて、もう半狂乱《はんきょうらん》だ。

「誠《まこと》、おまえ、そんな顔《かお》して、じょうだんいうのか!」

「はい、いちおう。」

「じゃあ、薬《くすり》はどうなるんだ。おれの立場《たちば》はどうなるんだ!」

麦塾《むぎじゅく》では、こんなばかさわぎがしょっちゅうだ。

いつもなら、先頭《せんとう》に立《た》って、ぼくもさわぐとこなんだけど、きょうはいっしょにさわぐ気《き》にはなれない。台所《だいどころ》の水道《すいどう》をだしっぱなしにして、ジャブジャブあせまみれの顔《かお》や首《くび》やうでをあらった。

そのうち、ぼくに気《き》をつかったらしく、みんなのわらい声《ごえ》がすうっと静《しず》まった。

「なんだ、どした? はらでもいたいんじゃないのか。薬飲《くすりの》むか。」

と、ゴロさんが陽気《ようき》な調子《ちょうし》できいた。本気《ほんき》で心配《しんぱい》してくれるときは、いつもそんなふうだ。

ぼくはあらったばかりのびしょびしょの顔《かお》をうででおおって、ううと、なくまねをした。まねしたとたんに、秀治《ひでじ》にりんごを投《な》げつけられたショックがまたもどってきた。

(秀治《ひでじ》が、おれに向《む》かって——!)

わけのわからないくやしさで、ほんとにちょっとなみだがこぼれてしまった。

「まさか、おまえ、通信簿《つうしんぼ》でくよくよしてんじゃないだろな。」

ゴロさんは、おこったような声《こえ》になった。ゴロさんは、通信簿《つうしんぼ》だけにこだわるやつが、きらいなのだ。

ううと、ぼくはなきまねを続《つづ》けて、通信簿《つうしんぼ》をわたした。

ゴロさんはむずかしい顔《かお》をして、通信簿《つうしんぼ》を開《ひら》いた。

ちらっと見《み》て、すぐに〈算数《さんすう》4〉に気《き》づいた。

「ばかたれ。」

ペタンと、ぼくの頭《あたま》をひっぱたいた。

「よく、がんばったな。」

静《しず》かな声《こえ》で、いってくれた。

「十五分間《ふんかん》ずつ半年間《はんとしかん》、よく続《つづ》けた。ほんとに、よく、がんばった。」

うれしかった。本物《ほんもの》のなみだがでてきちゃいそうだった。

「あ、ちくしょう。成績《せいせき》あがったんですね。」

誠《まこと》がはしゃいだ声《こえ》をあげて、みんながいっせいに拍手《はくしゅ》してくれた。

「そうですか、それでびてい骨打《こう》ってまで、早《はや》く帰《かえ》ってきたんですか。」

誠《まこと》はひっひっとわらった。

ずぼしだったから、ぼくは赤《あか》くなってあわてた。もごもごといいわけしようとしたけど、みんなにはやしたてられて、いっそう赤《あか》くなってしまった。

「それで、どうなんですか。全体《ぜんたい》として、オール4ぐらいですか、それとも、オール5――。」

なんて、誠《まこと》はしつこい。

「おまえらね、ちょっとやかましいよ。いつまでゴロさんのじゃましてんだよ。もうそろそろ帰《かえ》る時間《じかん》だろ。ハーコがきたらぶっとばされるよ。」

とうとう先輩風《せんぱいかぜ》をふかせて、どなりつけてしまった。

ゴロさんは人《ひと》がいいから、いつまでもぼくらのおしゃべりの相手《あいて》になってくれる。だから、ハーコがいいだして、塾《じゅく》のない日《ひ》は、十五分以内《ふんいない》に帰《かえ》ること、ともうしあわせてあった。

「ほらほら、帰《かえ》れ帰《かえ》れ。ゴロさんだって、自分《じぶん》の勉強《べんきょう》しなきゃならないんだぞ。」

ぼくはぶうぶういってる誠《まこと》たちを、力《ちから》ずくで追《お》いたてた。

誠《まこと》たちが帰《かえ》ってしまって、ぼくもハーコのこないうちに帰《かえ》ろうかとそわそわしてたら、

「ううん、やっぱり、どこかおかしいな。」

ゴロさんがぼくのようすをながめて、うなった。

「成績《せいせき》のことだけじゃないな。——どっかでかっぱらいでもやってきたのか?」

ゴロさんはたばこに火《ひ》をつけて、ぼくを見《み》た。

ぼくはちょっとまよったけど、秀治《ひでじ》のことをすっかり話《はな》してしまった。

「そうか、そんなことがあったのか……。」

たばこをふかしてきいていたゴロさんは、ようやくぼそっとひとこといったきりだった。

いくら待《ま》っても、もうなにもいわない。

ぼくはじれったくなって、

「ゴロさん、あいつ、麦塾《むぎじゅく》でめんどうみてくれないかな。」

と、かるい気持《きも》ちでいった。

ゴロさんの目《め》が、たばこのけむりのむこうでぎろっと光《ひか》った。

「おまえの友《とも》だちなんだろ。」

ゴロさんは、きゅうにつめたくつっぱなすようにいった。

「おまえが連《つ》れてくれば、めんどうみてやるよ。」

3　ブラック＝キャット解散《かいさん》か？

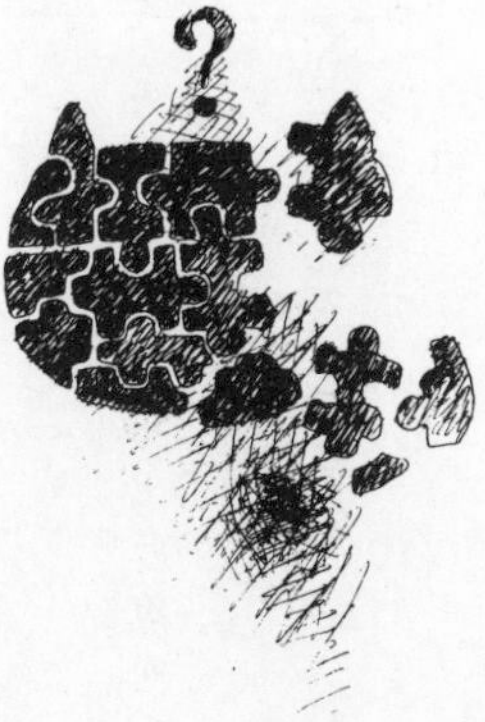

駅前《えきまえ》の商店街《しょうてんがい》をぬけて、国道《こくどう》をわたると、きゅうにひっそりとした町並《まちな》みになる。アパートや町工場《まちこうば》やちいさなお店《みせ》が、柳川《やなぎがわ》の土手《どて》のあたりまで、ぎっしりとひしめきあっている。

仲通《なかどお》りとよばれる通《とお》りが、その地域《ちいき》を二つにわって、川《かわ》ぞいの側《がわ》が、ぼくらの町内《ちょうない》、もう一方《ぼう》が、ブラック＝キャットの宿敵《しゅくてき》、スネイクスの連中《れんじゅう》の町内《ちょうない》だ。

仲通《なかどお》りのとちゅうに、むかしながらの造《つく》りのお米屋《こめや》さんがある。ブラック＝キャットの名《めい》サード、六年《ねん》のガンちゃんの家《いえ》で、そこを曲《ま》がったところから、どらねこ横町《よこちょう》になる。

そのはしっこのほうに、中華料理店《ちゅうかりょうりてん》たこ松《まつ》——つまり、ぼくの家《いえ》がある。十坪《つぼ》ほどの、ほんとにちっぽけな店《みせ》だ。となりがお菓子屋《かしや》さんで、その向《む》こうが花屋《はなや》さん、——ハーコの家《いえ》だ。

麦塾《むぎじゅく》からもどると、ちょうどお昼《ひる》どきだったから、せまい店《みせ》はお客《きゃく》さんでいっぱいだったけど、ぼくはどうどうと表《おもて》からはいった。

そんなことしたら、ふつうは、ぶっとばされるんだけど、きょうは大《おお》いばりだ。通信簿《つうしんぼ》があがってたら表《おもて》から、さがってたら裏《うら》からはいる、というやくそくになっていた。

ぱっと、のれんをはねてはいると、

「らっしゃい。お一人《ひとり》さん、こちらっ。」

かっぽう着《ぎ》すがたのおっちゃん（つまり、ぼくの父《ちち》）が、カウンターのすみに席《せき》をつくってくれた。

マーちゃん（つまり、母《はは》）が、トンと氷《こおり》入りの水《みず》を持《も》ってきてくれて、ぼくのバッグから、すばやく通信簿《つうしんぼ》をぬき取《と》った。

「特製《とくせい》五目《ごもく》焼《や》きそば大《おお》もり。」

と注文《ちゅうもん》して、ぼくは気《き》どって水《みず》を飲《の》んだ。

「やった!」

マーちゃんが、通信簿《つうしんぼ》を見《み》て、ぼくの背中《せなか》をたたいた。ぼくはブッと水《みず》をふきだした。

テレビやまんがの本《ほん》を見《み》てたお客《きゃく》さんたちが、いっせいにこっちを見《み》た。

「どうも、この暑《あつ》さなもんで。」

と、おっちゃんが、なじみのお客《きゃく》さんたちにいいわけしながら、

「どら?」

いそいそと、のぞきにきた。

「——うん、まあまあだ。」

おっちゃんは、にこりともしないで、焼《や》きそばを作《つく》りにかかった。——かみを短《みじか》くかりあげて、プロレスの悪役《あくやく》そっくりだけど、わらうと、くしゃんとしまりのない顔《かお》になっちゃう。「あんたは、わらっちゃだめよ。」と、マーちゃんにもかたくいわれてるし、自分《じぶん》でもよくわかってるらしくて、めったなことではわらわない。

「お待《ま》ちどお、大《だい》サービス。」

と、マーちゃんの運《はこ》んできてくれた特製焼《とくせいや》きそばを食《た》べながら、

「おまえの友《とも》だちなんだろ。」

と、ゴロさんにいわれたことや、りんごを投《な》げつけられたことを、あれこれ考《かんが》えた。おっちゃんにも、すっかり話してしまいたかったのだけど、あせだくで注文《ちゅうもん》をさばいてるすがたを見《み》ると、やっぱり話《はな》せなかった。マーちゃんだって、お客《きゃく》さんにあいそをいったり、水《みず》をだしたり、食器《しょっき》をかたづけたりで、すきがない。

（しようがないさ、ぐれるやつがばかなんだもんな。）

ぼくは十分《ぶん》とかからないで焼《や》きそばをたいらげ、立《た》ちあがった。

「まいどっ。」

と、マーちゃんがジュースを一本《ぽん》、トンとカウンターに置《お》いてくれた。

「よくやった。」

おっちゃんが、小声《こごえ》でいった。くしゃん顔《がお》になっちゃいそうなのを、必死《ひっし》でこらえてる。

ぼくは、ありがたいことに、マーちゃんににた。それで、心《こころ》おきなく、「へへえ、実力《じつりょく》、実力《じつりょく》。」とわらって、ジュースのびんをくるくるまわしながら二階《かい》にあがった。

4

(しょうがないよ、秀治《ひでじ》のことは、秀治《ひでじ》のことさ。)

ユニホームに着《き》かえて、ベルトをぎゅっときついくらいにしめた。

練習《れんしゅう》はいつも川原《かわら》でやる。雑草《ざっそう》だらけだけど、かなりの広《ひろ》さだし、野球《やきゅう》やサッカーができるていどには整備《せいび》されている。

四、五年前《ねんまえ》、土手《どて》が産業道路《さんぎょうどうろ》になって、川原《かわら》には工場《こうじょう》が建《た》ちならぶはずだったけど、町《まち》の人《ひと》たちの長《なが》い反対運動《はんたいうんどう》で、そのままぼくらの遊《あそ》び場《ば》になっている。町《まち》の人《ひと》たちが署名運《しょめいうん》動《どう》したり、なんべんも請願《せいがん》にいったりした。ブルドーザーがきたときは、すわりこみまでやった。おっちゃんなんて、もうすこしでつぶされそうになったけど、動《うご》かなかった。

そうやって残《のこ》された遊《あそ》び場《ば》なんだけど、川原《かわら》で遊《あそ》んでる子《こ》って、このごろ、あまり見《み》かけなくなった。

三、四年前《ねんまえ》までは、野球《やきゅう》でもなんでも、場《ば》所《しょ》を取《と》るのがたいへんだった。場《ば》所《しょ》取《と》り合戦《がっせん》で、けんかもしょっちゅうだった。

「場《ば》所《しょ》を取《と》っとけ。」

と、上級生《じょうきゅうせい》たちにいわれて、ぼくら、ほかのチームの子《こ》らになぐられたりけられたりしながらも、ホームベースにだきついてグラウンドを守《まも》ったこともあった。もちろん親《おや》たちにはしかられたけど、赤《あか》チンと青《あお》あざだらけになって、ほこらしく登校《とうこう》した。そんなこと、いまではうそみたいだ。

川原《かわら》は、がらんとしてる。

ぼくらの使《つか》ってるあたり以外《いがい》は、雑草《ざっそう》がのびほうだいになってる。

その日《ひ》、やくそくの二時《じ》に集合《しゅうごう》したときも、川原《かわら》にはだれもいなかった。

ブラック＝キャットのメンバーの集《あつ》まりも悪《わる》かった。

二時《じ》までにきちんと集合《しゅうごう》したのは、六年生《ねんせい》ではキャプテンでキャッチャーの岸《きし》さん、サードのガンちゃん。五年生《ねんせい》ではライトの洋太《ようた》くん、センターの弓削《ゆげ》くん、レフトの岬《みさき》くん、そしてショートのぼく、――全員《ぜんいん》だといいたいとこだけど、かんじんのピッチャー吉野《よしの》くんは、めずらしいことにちこくだった。それでも、十五分《ふん》くらいおくれただけで、あせだくになってかけつけてきた。四年生《ねんせい》では補欠《ほけつ》の誠《まこと》、同《おな》じくケラぼう、ちょっと補欠《ほけつ》にもむりみたいなニカちゃんだ。とにかく、レギュラーのファースト小田《おだ》、セカンド中野《なかの》の二人《ふたり》は、なかなかすがたを見《み》せなかった。

「レギュラーが、こんなことでいいんですか。」

と、ぼくはじりじりして、岸《きし》さんにいった。

「きょうは、練習《れんしゅう》はじめる前《まえ》に、ミーティングやってくれませんか。ぼくら、もう、うんざりなんです。」

と、ぼくはしつこくせまった。

「ああ、わかってる。」

と、岸《きし》さんもはらにすえかねたように、土手《どて》のほうをちらちら気《き》にしながらいった。

「だけど、あいつらのいいぶんもきいてやれや。いいな?」

それで、ぼくらは二人《ふたり》がくるまで、柔軟体操《じゅうなんたいそう》を続《つづ》けた。

しばらくやってたら、出前《でまえ》のとちゅうのおっちゃんが、「ブラック＝キャット、ファイト!」と、土手《どて》の上《うえ》から手《て》をふっていったけど、ぼくら、はずかしくて、いせいのいい声《こえ》もでなかった。

六年生《ねんせい》の二人《ふたり》は、一時間近《じかんちか》くもおくれてやってきた。ぺろぺろとアイスクリームをなめながら、ユニホームのボタンをぺろんとはずして、のたらくたらとバットを引《ひ》きずってやってきた。

「このばか暑《あつ》いのに、やっぱ、やるのかよ。」

「喫茶店《きっさてん》は最高《さいこう》だぞ。いかねえか。」

平気《へいき》な顔《かお》で、そんなことをいった。

岸《きし》さんは、なにもいわない。ガンちゃんもだまってる。

「むりしてやってもらわなくてもいいんだよな。」

と、ぼくはいってしまった。そんないいかたで話《はな》し合《あ》いをはじめるつもりはなかったのだけど、むかむかしちゃって、とうとうけんかごしになった。

「てめえ、もういっぺんいってみろ！」

と、小田《おだ》がにきび面《づら》をつきだしてきた。男性化粧品《だんせいけしょうひん》のにおいがした。

「なんべんでもいうさ。レギュラーなら、レギュラーらしく、まじめに練習《れんしゅう》したらどうなんだよ。」

ぐっとはらに力《ちから》をいれて、おちついていったつもりだったけど、やっぱり声《こえ》がふるえてしまった。

「このやろう、六年生《ねんせい》に向《む》かって！」

肥満《ひまん》ぎみの中野《なかの》が、ぼくのむねをどついた。ぼくはあっさりふっとばされた。すごい力《ちから》だ。これでヒットが一本《ぽん》も打《う》てないんだから、どうしようもない。

「すもうにでも転向《てんこう》したら。」

と、ぼくはのろのろと立《た》ちあがりながら、にくまれ口《ぐち》をきいた。

「てめえ！」

中野《なかの》の白《しろ》い顔《かお》がぱっと赤《あか》くなって、ゆっくりとバットをふりあげた。

「暴力反対《ぼうりょくはんたい》！」

と、洋太《ようた》くんが大《おお》きな体《からだ》で中野《なかの》をはがいじめにした。中野《なかの》がふりほどこうとしても、洋太《ようた》くんは動《うご》かない。わめいてあばれる中野《なかの》に、

「やめろ。」

と、岸《きし》さんがめんどうくさそうにいった。

「ボールも打《う》てないで、人間《にんげん》が打《う》てるかよ。」

くだらねえというふうに、ぺっとつばをはいた。

ぼくらは、あれ？ というような顔《かお》で岸《きし》さんを見《み》て、ちらちら中野《なかの》と小田《おだ》をうかがいながら、はははとわらった。

「なんだよ、岸《きし》、おまえ、こいつらの味方《みかた》する気《き》かっ。」

と、小田《おだ》がけしきばんでつめよった。

岸《きし》さんは、じろっと小田《おだ》をにらみつけただけだった。

「しんぼうしてきたつもりだけどな、おれも、もう、おまえらにはうんざりだ。」

岸《きし》さんは、小田《おだ》と中野《なかの》をもういちどにらみつけて、

「ガンちゃん、もういいだろ？ あとは、たのむぜ。」

青《あお》バットにキャッチャーミットを通《とお》すと、ぼくらをちらっとながめまわして、

「じゃあな。」

と、土手《どて》を登《のぼ》りはじめた。

ぼくらはじょうだんだと思《おも》ってた。

でも、キャプテンの岸《きし》さんは、後《うし》ろも見《み》ないでずんずんいってしまう。

「岸《きし》さん！」

ぼくらはびっくりして、口々《くちぐち》によんだ。

「そりゃ、ないでしょ、キャプテン！」

「ブラック＝キャットは、どうするんですか！」

「——悪《わる》いな。」

と、岸《きし》さんは土手《どて》の中腹《ちゅうふく》で、ようやくふりかえった。

「おれあ、キャプテンてがらじゃねえよ。もう、うんざりだよ。」

たったっと、身軽《みがる》く斜面《しゃめん》をかけ登《のぼ》って、土手《どて》の向《む》こうに消《き》えてしまった。

からっぽの土手《どて》を見《み》つめて、ぼくらはぼうぜんとしていた。

そんなぼくらを見《み》て、きゅうに小田《おだ》と中野《なかの》が、へらへらわらいだした。

「かっこつけやがって。けっきょくは、わが身《み》がかわいいのさ。」

「せいせいして、リトル＝リーグにいきやがったぜ。」

「頭《あたま》は悪《わる》いけど、野球《やきゅう》はまあまあだからな。」

「ブラック＝キャットのためなんてふりしてたけど、いままでは、リトル＝リーグの試験《しけん》にパスしなかったんじゃねえの。」

「きまってるさあ。でなきゃ、こんなぼろチームのために、だれがあくせくするかよ。」

二人《ふたり》が口《くち》ぎたなく岸《きし》さんをののしるのを、ぼくらはだまってきいていた。

岸《きし》さんが、精鋭《せいえい》の集《あつ》まるリトル＝リーグにいきたがってるといううわさは、ぼくらもきいていた。それだけの実力《じつりょく》があることも、よく知《し》っていた。それでも、万年《まんねん》びりのブラック＝キャットをひきいてがんばってくれてると思《おも》って、すくなくともぼくは、岸《きし》さんをそんけいしていた。だから、小田《おだ》と中野《なかの》に対《たい》する不満《ふまん》も、岸《きし》さんがいつか解決《かいけつ》してくれるんだと思《おも》って、ずっとしんぼうしてきた。

それなのに、このかんじんなときに、こんなかたちで投《な》げだされるなんて――！

キャプテンてがらじゃない、と岸《きし》さんはいった。そのとおりだ！　と、ぼくは思《おも》った。岸《きし》さんは、キャプテンなんかやっちゃいけない人《ひと》だったんだ。一人《ひとり》で、ずっと、リトル＝リーグをねらっていればよかったんだ！

だけど、そのキャプテンを信《しん》じてやってきたぼくらは、どうなるんだ！　ブラック＝キャットは、どうするんだ。

「解散《かいさん》だな。」

と、小田《おだ》が勝《か》ちほこったようにいった。

「だいたいよう、町内会《ちょうないかい》の少年野球《しょうねんやきゅう》なんて、町内会《ちょうないかい》のじじいどもよろこばせるだけだぜ。」

「健全《けんぜん》な青少年《せいしょうねん》の育成《いくせい》のために、とかなんとかな。」

二人《ふたり》はまたばかわらいをして、

「ブラック＝キャット解散《かいさん》、決定《けってい》！」

と、欽《きん》ドンのアクションをまねしていった。

すると、ずっとだまりこくってたガンちゃんが、バットをにぎって、すっと立《た》った。

「やめたけりゃ、ごたくならべずに帰《かえ》れよ。」

バットを持《も》ったうでをまっすぐにのばして、岸《きし》さんの消《き》えた土手《どて》のほうをさししめした。

二人《ふたり》はびっくりして、ガンちゃんを見《み》つめてる。

「本気《ほんき》かよ？」

と、不安《ふあん》そうな顔《かお》になった。

「そうさ、ふざけるんじゃないよ。」

と、ぼくはうれしくなってさけんだ。

「やめたいやつは、やめりゃいいんだ。ブラック＝キャットは、おれたちが続《つづ》けていくよ！」

うれしいのか、くやしいのか、よくわからなかった。みっともないけど、なみだでみんなの顔《かお》がぼうっとしてしまった。

4　ごたごたのめんどうは、だれがみる？

「なにをそんなにりきんでるんだよ。」

「たかが草野球《くさやきゅう》じゃねえか。」

小田《おだ》と中野《なかの》は、ガンちゃんとぼくのけんまくにとまどっていたけど、

「まあ、しっかりやれや。」

「たまには、さしいれくらいしてやるよ。」

と、へんにやさしい口《くち》ぶりになって、なんだかさみしそうに帰《かえ》っていった。

ぼくらも、ぽかっとからっぽな気持《きも》ちになって、しばらく、夕焼《ゆうや》けの土手《どて》をながめて

いた。

「ユーさんのいいかたは、きつすぎますよ。あれじゃ、だれだって、やめたくなりますよ。」

と、誠《まこと》が口《くち》の中《なか》でつぶやいた。

「もうちょっと、べつのいいかたがあったんじゃないですか。」

かげじゃ、人一倍文句《ひといちばいもんく》ばかりいってたのに、あいつらがいなくなったら、こんどはぼくをせめてきた。

「えらそうなこというな。」

と、ガンちゃんがにらんだ。

「おまえ、あいつらに、なにかひとことでもいってやったのか。」

ガンちゃんは、めずらしく強《つよ》い口調《くちょう》でいった。誠《まこと》はだまってしまった。それで、ぼくは誠《まこと》をなぐらずにすんだ。

みんな、つかれきっていた。グラウンドにぺたんとすわりこんで、てんでにぶつぶつとぐちをいった。

「みそこなったよ。あんな人《ひと》だとは思《おも》わなかったよ。」

と、ぼくは岸《きし》さんのことばかりいった。

「あんな無責任《むせきにん》なキャプテンなんてないよ、そうだろ？」

と、ぼくは吉野《よしの》くんにうなずきかけた。吉野《よしの》くんは、川原《かわら》にきてからずっと、口《くち》をきいてなかった。ぼくは、そのことも気《き》になっていた。

「うん――、まあ。」

と、吉野《よしの》くんはにえきらない返事《へんじ》をしただけだった。

（あれ――？）

いつもの吉野《よしの》くんらしくないな、と思《おも》ったけど、こんなときだから、みんな気《き》がしずんでるのだろうと、ぼくはそれ以上《いじょう》気《き》にもとめなかった。

「ぐちいっててもきりがないし、とにかく、新《しん》キャプテンを決《き》めておこうや。」

と、やがて、ガンちゃんがいった。

もう日《ひ》がくれかけていた。

「ガンちゃん。」

と、ぼくらはいっせいにいって拍手《はくしゅ》した。

「ああ、気持《きも》ちはわかるし、おれも六年生《ねんせい》ってこともあるしな。」

と、ガンちゃんは静《しず》かにいった。

「だけど、おれも、がらじゃないんだ。六年生《ねんせい》を、だれひとり、まともに引《ひ》っぱっちゃこれなかったんだからな。——ブラック＝キャットがこんなになるまで、ほっぽっといたんだからな。」

さみしそうに、わらった。

「もう、五年生《ねんせい》が主力《しゅりょく》なんだ。五年生《ねんせい》の中《なか》から選《えら》んでくれや。」

ガンちゃんが、こんなにしゃべったのははじめてのことだったし、心《こころ》をこめていっているのが、ぼくらにもわかった。ぼくらは、もうなにもいえなかった。

「じゃあ、吉野《よしの》くんしかいないな。」

と、ぼくはいった。みんなも、すぐにうなずいた。

「だめだよ、じょうだんじゃない。」

と、吉野《よしの》くんがひどくあわてたように、きっぱりとことわった。あんまり、もうれつなことわりようだったから、だれもがびっくりして吉野《よしの》くんを見《み》つめた。

「ピッチャーやって、そのうえ、こんなごたごたのめんどうまでみなきゃならないのか。」

と、吉野《よしの》くんはけしきばんでぼくをにらんだ。そんなことまでやらされるんなら、やめちゃうぞ、といわんばかりのようすだった。

ぼくはどぎまぎして、

「べつに、そんな意味《いみ》でいったんじゃないんだけどな……。」

吉野《よしの》くんから目《め》をそらして、口《くち》の中《なか》でもごもごといってみたけど、心《こころ》がすうとひえていって、なにもかも、もうどうでもいいや、というような、ひどく白々《しらじら》とした気分《きぶん》になってしまっていた。

(だけど、やっぱり、いうべきことは、はっきりいっておこう。)

しばらくあれこれ考《かんが》えて、そう心《こころ》に決《き》めた。そして、いった――、

「キャプテンがいなきゃ、ほんとに、ブラック＝キャットは解散《かいさん》じゃないか。だれが考《かんが》えたって、中心《ちゅうしん》になるのは吉野《よしの》くんなんだし、だから――。」

冷静《れいせい》にしゃべろうとしたのに、そう意識《いしき》すればするほど、気持《きも》ちがたかぶって、とうとう、とちゅうでことばがつまってしまった。

(どうして、みんな、「よし、やる!」って、いわないいんだ!)

さけびだしてしまいそうだった。それをしんぼうするだけで、せいいっぱいだった。

みんな、うんざりしたように、うつむいて、だまりこくってる。

「どうしたのさ、もう暗《くら》くなるよ、もう練習《れんしゅう》しないの?」

と、ニカちゃんが誠《まこと》とケラぼうにそっとささやいている。

だれも、なにもいわない。

「おれは、長谷川《はせがわ》勇《ゆう》が、キャプテンに、適任《てきにん》だと思《おも》う。」

と、とつぜん、ガンちゃんが、ことばをくぎりながら、はっきりといった。

「異議《いぎ》なし!」

と、すかさず、誠《まこと》がばかでかい拍手《はくしゅ》をした。

「異議《いぎ》なし!」

と、みんなもつられたように拍手《はくしゅ》をして、ぼくにわらいかけた。

「そうさ、きみしかいないんだ。」

と、吉野《よしの》くんも、目《め》をふせたまま、おこったようにいった。

どうしてガンちゃんがぼくをすいせんしてくれたのか、どうして誠《まこと》がすぐに賛成《さんせい》したのか、ぼくはじっくり考《かんが》えたかったのだけど、あれこれかっこつけていいわけするみたいでいやだった。くやしさと、はらだたしさとで、かっかして、「やる!」と、あっさり引《ひ》き受《う》けてしまったけど、すぐにこうかいした。

「ピッチャーやって、そのうえ、こんなごたごたのめんどうまでみなきゃならないのか。」

——吉野《よしの》くんのことばと表情《ひょうじょう》が、ずっとひっかかっていて、うちに帰《かえ》ってからも、すっきりした気分《きぶん》にはなれなかった。「やるぞ!」という気《き》には、なれなかった。

(しようがないから、引《ひ》き受《う》けただけだ。)

そんな気持《きも》ちだったから、おっちゃんとマーちゃんには、なにもいわなかった。

おっちゃんとマーちゃんは、〈算数《さんすう》4〉にはしゃいじゃって、店《みせ》を早《はや》じまいにして、二人《ふたり》でビールを飲《の》みながら、ぼくをどこの大学《だいがく》に入《い》れようか、ワセダかケーオーか、なんて、論争《ろんそう》してる。

「キャプテンになったよ。」

なんて報告《ほうこく》したら、たいへんなさわぎになるにきまってる。ぼくが生《う》まれたときみたいに、町内《ちょうない》にお赤飯《せきはん》をくばって歩《ある》くかもしれないのだ。ほんとに、やりかねない親《おや》たちなのだ。

ぼくは四畳半《じょうはん》の勉強《べんきょう》づくえにほおづえをついて、街《まち》の灯《ひ》をぼんやりながめていた。

(ごたごたのめんどう、か……。そうだよな、ごたごたのめんどうみるなんて、いやなこ
とだもの……。)

ふっと、秀治《ひでじ》のことを思《おも》った。——ぼくも、万引《まんび》き事件《じけん》のごたごたになんかまきこまれたくはなかったんだ、きっと、と弱々《よわよわ》しく思《おも》った。

(キャプテンなんて、ぼくにやれるのかな。)

ため息《いき》がでた。

だけど、もう、あとへはひけない。

やるしかない。

(なんとかなるさ!)

ぼくはガタッといすから立《た》った。

「ちょっと、すぶりしてくる。」

と、バットを持《も》って、階段《かいだん》をおりた。

おっちゃんとマーちゃんは、いいきげんにほんのり酔《よ》って、テレビ見《み》ながら、

「あんまりはりきらないでよ。」

「東大《とうだい》なんかめざさなくたっていいんだぞ。」

なんていってる。

ぼくはうす暗《ぐら》い路地《ろじ》で、ビュッビュッとバットをふった。くたくたになるまで、すぶりをくり返《かえ》した。

一時間《じかん》くらいバットをふってるうちに、メンバーの一人一人《ひとりひとり》の実力《じつりょく》や、得意《とくい》や性格《せいかく》が、あれこれ頭《あたま》にうかんできて、それにあわせて、ポジションや打順《だじゅん》を考《かんが》えはじめていた。

(なんだかんだいっても、みんな、残《のこ》ってるんだからな。吉野《よしの》くんだって、ガンちゃんだって、ちゃんと残《のこ》ってるんだからな。)

岸《きし》さんにぬけられたショックは、どうしようもなかったけど、だらけたふんいきをいっそうして、がっちりとチームワークをかためれば、より強力《きょうりょく》なチームになるかもしれない、とぼくは考《かんが》えはじめていた。

スネイクスやレッド＝リバーズをやっつけて、優勝《ゆうしょう》するようなことまで空想《くうそう》した。

（よし、なんとか、やってみるか。）

一人《ひとり》でこうふんして、ビュッと最後《さいご》のひとふりに力《ちから》をいれたら、

「はりきってるのね。」

後《うし》ろで声《こえ》がして、ゆかたすがたのハーコが立《た》っていた。

となりに、花屋《はなや》のロクさん（ハーコのお父《とう》さん）もいて、

「いいふりだ。」

といってくれた。松《まつ》の湯《ゆ》の帰《かえ》りらしく、二人《ふたり》とも、洗面道具《せんめんどうぐ》をかかえている。

「こいつも、男《おとこ》だったらな。」

と、ロクさんは、いつもの口《くち》ぐせをまたいった。ぼくとロクさんは、ブラック＝キャットの優勝《ゆうしょう》の可能性《かのうせい》について、ちょっと立《た》ち話《ばなし》をした。

ハーコは、赤《あか》いはなおのげたをカタコト鳴《な》らしながら、ぼくらの話《はなし》をにこにこしてきいていた。そして、

「がんばってね。」

ぽんとぼくのかたをたたいて、ロクさんにあまったれるようにしていってしまった。

せっけんのにおいが残《のこ》った。

「優勝《ゆうしょう》したら、おそうじサボったこと、ゆるしてあげる。」

ぽけっと見送《みおく》ってたら、きゅうにふりむいて、わらった。

(ちぇっ、なにいってやがる!)

ぼくは、ドドドと、たこ松《まつ》の階段《かいだん》をかけあがった。

おっちゃんとマーちゃんは、ビールに酔《よ》って、うたたねをしてた。ぼくは二人《ふたり》をねかしつけてやって、

(よし、やるぞ!)

新《あたら》しいノートに、〈新《しん》ブラック=キャット〉としるした。すぶりをしながら考《かんが》えたポジションや打順《だじゅん》を書《か》きこんだ。なんべんも気《き》が変《か》わって、そのたびに、新《あたら》しいページに書《か》き直《なお》した。

ずいぶん長《なが》い時間《じかん》かかって案《あん》をまとめ、ようやく床《とこ》についたのだけど、目《め》がさえて、なかなかねつかれなかった。

(やってやるさ。きっと、ブラック=キャットを優勝《ゆうしょう》させてやる!)

そんなことばかり考《かんが》えて、とてもねむれそうになかったから、のこのこ起《お》きだして、パジャマのままで、またつくえに向《む》かった。

新《あたら》しいノートは、マーちゃんがバーゲンで三十さつも買《か》ってきてあったから、その中《なか》からまた一さつぬき取《と》ってきて、〈キャプテン心得帳《こころえちょう》〉と、サインペンでていねいに書《か》いた。

漢字《かんじ》がまちがってないかどうか、めったに使《つか》ったことのない辞書《じしょ》で調《しら》べてから書《か》いた。

そして、第《だい》一ページめに、思《おも》いつくままに心得《こころえ》を書《か》きつらねた。

一、キャプテンは、すぐにやめちゃったりしないで、がんばりぬくこと。

一、キャプテンは、すぐにかっとしたり、すぐにくよくよしたりしないこと。

一、キャプテンは、チームのみんなを、びしびしきたえること。

一、キャプテンは、みんなよりもきびしく練習《れんしゅう》してうまくなること。

そんなことを書《か》いた。書《か》き終《お》わったら、心《こころ》が静《しず》まって、きゅうにねむくなってきた。

(よし、あしたからは六時《じ》に起《お》きて、毎朝《まいあさ》マラソンをしよう。)

ぼくはガッツポーズをとって、古《ふる》ぼけた目《め》ざまし時計《どけい》のねじをまいてから、ことんとねむった。

5　キャプテンの朝《あさ》

朝《あさ》、目《め》ざめたのは、八時《じ》すぎだった。目《め》ざましのベルは鳴《な》らなかった。

おっちゃんとマーちゃんは、もう食事《しょくじ》をすませたらしく、店《みせ》でがたがたやっていた。

（八時《じ》二十分《ぷん》か――。）

ぼくは目《め》ざましをにらんで、ふとんの上《うえ》でうなった。ねじはまいたけど、ベルのボタンはおしてなかった！　九時《じ》から練習《れんしゅう》だから、いまからマラソンをはじめるわけにはいかない。

「まったく、もう、どうして起《お》こしてくれなかったんだよ！」

おっちゃんとマーちゃんが、マラソンのことなんか知《し》ってるはずもないのに、やつあたりして、ぼくはパジャマをおんぼろ目《め》ざましにたたきつけた。

それから、おっちゃんが買《か》ってきたまま、さっぱり使《つか》ってないルーム＝ランナーを引《ひ》っぱり出《だ》してきて、わっせ、わっせ、わっせと走《はし》った。

(キャプテンは、やるといったことは、やるんだ！)

一人《ひとり》でいきがって、どたどた十分《ぷん》くらいも足《あし》ぶみしてたら、

「キャプテン、電話《でんわ》よっ。」

と、下《した》からマーちゃんがよんだ。おすと返事《へんじ》して、Tシャツ《ティー》を頭《あたま》からかぶりながら、あれ？　と思《おも》った。キャプテンになったこと、なんで知《し》ってんだろ？

つくえの上《うえ》の〈キャプテン心得帳《こころえちょう》〉に、ちらっと目《め》をやった。きっと、あれを見《み》られちゃったにちがいない。放任主義《ほうにんしゅぎ》みたいな顔《かお》してて、なんでも知《し》っちゃうんだから、まったく、親《おや》ってのは、ゆだんもすきもない。

「早《はや》くしなさい、吉野《よしの》くんからよ。」

と、マーちゃんが階段《かいだん》のとちゅうまであがってきた。

「けんかでもしたの？　ちょっと、へんよ。」

という。

「え、吉野《よしの》くん？」

へんだな、といやな予感《よかん》がした。吉野《よしの》くんから電話《でんわ》がかかってくるなんてこと、めったにない。家《いえ》もそんなにはなれてるわけじゃないし、たいていの用事《ようじ》は、ひとっ走《ぱし》りすれば、すむ。

（まさか――！）

どきっとした。

ぼくはマーちゃんをおしのけるようにして階段《かいだん》をかけおり、おっちゃんにあいさつするのもわすれて、受話器《じゅわき》をにぎった。

「もしもしっ。」

とせきこんで、吉野《よしの》くんをよんだ。

けど、応答《おうとう》がない。

「もしもし、おれ、ユー。もしもしっ。」

すると、ようやく、せきばらいをするような声《こえ》が、かすかにきこえてきた。

「吉野《よしの》くん？　なんだよ、くだらないいたずらやめろよな。どうしたんだよ、びっくりするじゃないかあ。」

ぼくは陽気《ようき》な声《こえ》をはりあげて、あははと、作《つく》りわらいまでした。

「勇《ゆう》くん。」

と、間《ま》をおいて、吉野《よしの》くんがいった。

「ぼく、ブラック＝キャット、やめるよ。」

そう、いった。頭《あたま》の中《なか》が、しいんとなったみたいだった。吉野《よしの》くんのいったことばを、もういちど、むねの中《なか》でくり返《かえ》してみて、

「なにい！」

と、ぼくはすっとんきょうな声《こえ》をあげた。

おっちゃんとマーちゃんが、ちらちらこっちをうかがってる。

「おい、じょうだんだろ。なあ、そんな悪《わる》いじょうだん、四月《がつ》ばかのときだけにしてくれよな。」

必死《ひっし》だった。

返事《へんじ》はない。

「ねえ、どうしたってのさ？　ごたごたして、めんどうくさくなっちゃったの？　きみには、絶対《ぜったい》めんどうかけないよ。——とにかくさ、会《あ》ってゆっくり話《はな》し合《あ》おうよ、な？　これからすぐいくよ、待《ま》っててくれよ。」

ぼくはいらいらと早口《はやくち》になった。

「だめなんだ。しようがないんだ。たのむから、こないでくれよ。」

と、吉野《よしの》くんはいった。そして、チンと電話《でんわ》を切《き》ってしまった。

切《き》れた電話《でんわ》を、ぼくはしばらくながめていた。

「どうしたのよ？」

と、マーちゃんがきいた。おっちゃんも心配《しんぱい》そうにちらっと見《み》た。

「うん、ちょっと、いってくる。」

と、ぼくはおっちゃんのせったをつっかけて、表《おもて》にとびだした。

「あ、こら、どろぼう。水虫《みずむし》うつるぞ。」

と、おっちゃんがどなったけど、水虫《みずむし》どころのさわぎじゃない。

(吉野《よしの》くんにぬけられたら、ブラック＝キャットなんて、もう、ほんとに、解散《かいさん》するしかないじゃないか！)

心臓《しんぞう》がドキンドキンと鳴《な》る音《おと》をききながら、ガンちゃんの家《いえ》に走《はし》った。

(みんな、くそったれだ！)

そんなことを思《おも》いながら走《はし》った。

(やめちゃえ、やめちゃえ。みんな、やめちゃえ！　もう、しらねえや！)

ガンちゃんの家《いえ》は、古《ふる》くからのお米屋《こめや》さんだ。三間間口《げんまぐち》のげんかんに、何《なん》十年《ねん》も雨風《あめかぜ》にさらされてきた大《おお》きなのれんがさがってる。のれんをくぐって土間《どま》に立《た》つと、空気《くうき》がひんやりと冷《つめ》たい。

おくに向《む》かって、二度《ど》三度《ど》、大声《おおごえ》でよんだら、青《あお》だたみをのっしのっしとふんで、ガンちゃんがでてきた。もう、きちんとユニホームを着《き》て、かた手《て》に牛乳《ぎゅうにゅう》、かた手《て》にあんパンを持《も》っていた。

「あれ、そういうスタイル、はやってるの？」

ガンちゃんはあんパンをもぐもぐやりながら、けげんそうに、せったばきのぼくをながめた。

「じょうだんいってるときじゃないんだ。吉野《よしの》くんから、電話《でんわ》があって、やめるっていうんだ。」

ガンちゃんはゴクゴクと牛乳《ぎゅうにゅう》を飲《の》みほして、

「ふうん。」

と、のんびりうなった。

「朝《あさ》めし、食《く》った？」

とつぜん、そんなことをいった。

「いいよ、それどこじゃないよ。」

と、ぼくはいったのに、ガンちゃんはあんパンを二つぼくにおしつけて、

「食《た》べながら、いこう。」

と、スパイクをはいた。

「え、どこへ？」

「吉野《よしの》くんとこ。」

「だって、こないでくれって、いったんだぜ。」

「はい、そうですかってわけにもいかないじゃないか。」

ガンちゃんは平手《ひらて》でたたきつけるようにして、のれんをはねた。はねたのれんが、パシッと小気味《こきみ》よい音《おと》をたてた。

(やっぱり、キャプテンは、ガンちゃんがやるべきなんだ――。)

ちっともあわてないガンちゃんとならんで歩《ある》きながら思《おも》った。背《せ》の高《たか》さは変《か》わらないのに、自分《じぶん》がちっちゃく思《おも》えていやだった。

もそもそとあんパンをほおばりながら、吉野《よしの》くんの家《いえ》まで、だまりこくって歩《ある》いた。

吉野《よしの》くんの家《いえ》は、三年《ねん》ほど前《まえ》に、どかどかと建《た》ちはじめた分譲住宅地《ぶんじょうじゅうたくち》の一角《かく》だ。せまいけど、庭《にわ》と車庫《しゃこ》のついた一戸建《こだ》ての住宅《じゅうたく》が、ぎっしりと建《た》ちならんでいる。どの家《いえ》も、石《いし》の門《もん》に、インターホーンがついていた。

そのボタンをおそうとしたら、ガンちゃんがぼくの手《て》をおさえた。

「短気《たんき》は損気《そんき》だぜ。」

ぼくはすぐかっとなるから、それを心配《しんぱい》しているのだ。

「わかってるよ。」

ぼくは、もう、かっとなってた。

「じゃ、深呼吸《しんこきゅう》。」

ガンちゃんがスーハーやりだしたから、しようがなしに、ぼくもスーハーやった。

すると、レースのカーテンの向《む》こうに、ちらっと人影《ひとかげ》が動《うご》いて、ボタンをおす前《まえ》に、吉《よし》野《の》くんのお母《かあ》さんがドアからでてきた。

「あら、心配《しんぱい》してきてくださったのね、ごめんなさいね。」

と、お母《かあ》さんはいった。

「あの子《こ》、お電話《でんわ》できちんとお話《はな》ししたと思《おも》いますけど、いなかに急用《きゅうよう》ができてしまったものですからね、ごめんなさいね。」

唐草《からくさ》もようの鉄格子《てつごうし》をはさんで、お母《かあ》さんはにこやかに話《はな》した。

「チームのみなさんに悪《わる》くて、ずっと、いいだせないでいたんですって。かえって、ごめいわくをかけちゃったんでしょう？　まだ気《き》にしてなやんでるようですわ、ええ。でも

??????????????????
!
5

ね、やむをえない事情《じじょう》なものですから、夏《なつ》の練習《れんしゅう》には参加《さんか》できないし、こちらのつごうだけで、いいかげんにチームに加《くわ》わってるわけにもいかないのでしょう? ゆるしてあげてくださいね、ね? わざわざきていただいて、うれしいわ。」

そんなことを、さわやかな声《こえ》でさらさらといわれて、はあとかなんとか、ぼくらぶざまに、もじもじしてきいていただけだった。

やむをえない事情《じじょう》ってなんだ?

どうして吉野《よしの》くんがでてこないんだ!

ぼくら、なにひとつ、きちんとたしかめられなかった。しつこくたしかめようとしたところで、どうせ、同《おな》じことだったにちがいない。——いつでもそうだ。おとなたちは、いつでも、いちばんかんじんなことを、にこやかに、さわやかに、かくしてしまうんだ。

(吉野《よしの》くん、ほんとに、もう、ブラック=キャットとはグーバイなんだな。)

そのことだけが、どうにもならないたしかな事実《じじつ》のようだった。

ぼくら、ひとことも口《くち》をきかないで、いまきたばかりの道《みち》を帰《かえ》った。

(もう、おしまいだ……。)

やけっぱちな気分《きぶん》を通《とお》りこして、あっけらかんとからっぽに明《あか》るい気分《きぶん》だった。

きのうの夜《よる》、新《しん》ブラック＝キャットを優勝《ゆうしょう》させてやるなんて妄想《もうそう》して、〈キャプテン心得《こころえ》帳《ちょう》〉などというのまで作《つく》った自分《じぶん》が、ひどく子《こ》どもっぽく、みじめで、こっけいに思《おも》われた。

「吉野《よしの》くん、きっと、K《ケー》学園中学《がくえんちゅうがく》を受験《じゅけん》するんじゃないのかな。」

と、ガンちゃんがなんでもないことのようにいった。ガンちゃんの家《いえ》の前《まえ》だった。

「銀杏塾《いちょうじゅく》じゃ、そのために、夏期合宿《かきがっしゅく》をやるからね。」

ガンちゃんは、ううんと背《せ》のびをしてから、ひざの屈伸運動《くっしんうんどう》をはじめた。

銀杏塾《いちょうじゅく》というのは、吉野《よしの》くんが電車《でんしゃ》で通《かよ》ってるとなり町《まち》の塾《じゅく》だ。毎年《まいとし》二回《かい》試験《しけん》をして、できる子《こ》ばかりを集《あつ》めている。悪《わる》い点《てん》をとると、すぐに追《お》いだされてしまうのだそうだ。

「だって、まだ五年生《ねんせい》だよ。」

と、ぼくはめんどうくさそうにいった。吉野《よしの》くんがどこにいこうと、もう、かんけいないというような気持《きも》ちだった。

「そう、五年《ねん》の夏《なつ》から。」

ガンちゃんは、すばやくゴロをとって送球《そうきゅう》するしぐさをした。その動作《どうさ》を、いつまでもくり返《かえ》すガンちゃんをながめてるうちに、

（あっ。）

と思《おも》った。ガンちゃんも、五年《ねん》の一学期《がっき》までは、そこに通《かよ》っていたのだ。そのあと、やめたのか、やめさせられたのか、いかなくなって、岸《きし》さんといっしょに、ブラック＝キャットをここまで引《ひ》っぱってきたのだ。

「銀杏塾《いちょうじゅく》なんて、どうだっていいよ。」

と、ぼくは投《な》げやりな口調《くちょう》でいった。

「とにかく、ブラック＝キャットには、とうとうピッチャーもキャッチャーもいなくなっちゃったってことさ。――もう、しらねえや！」

ははと、からっぽにわらった。

「…………」

ガンちゃんはゴロをとるしぐさをぴたっとやめて、こしをかがめたまま、ぼくをふりあおいだ。きらっとするどく目《め》が光《ひか》った。

(なぐられるな。)

と、ぼくは思《おも》った。

だけど、ガンちゃんはのんびりと体《からだ》を起《お》こして、

「九時《じ》だな。」

と、腕時計《うでどけい》をながめた。

「みんな、もう川原《かわら》に集《あつ》まってるぞ。」

T《ティー》シャツに半《はん》ズボン、おっちゃんのでっかいせったをつっかけたぼくをちらっと見《み》て、

「早《はや》く用意《ようい》してこいよ。待《ま》ってるよ。」

と、こんどははげしくこしをひねる運動《うんどう》をはじめた。

6　どらねこ、ぼろねこ、つぶれねこ

たこ松《まつ》にもどったら、マーちゃんがのれんをだしていた。

「どうしたの？」

ときかれたけど、

「なんでもない。」

と、ぶっきらぼうに答《こた》えて、二階《かい》にあがった。

「よく、足《あし》あらっとけ。」

と、おっちゃんは、まだ水虫《みずむし》にこだわってる。

(どせ解散《かいさん》するのに、へんだな……。)

そう思《おも》いながら、のろのろとユニホームに着《き》かえた。〈キャプテン心得帳《こころえちょう》〉が目《め》にとまったから、第《だい》一ページめをやぶいて、くしゃくしゃにまるめて、くずかごにほうりこんだ。

そして、ガンちゃんといっしょに川原《かわら》にでかけた。

もう、三十分《ぷん》くらいもおくれていた。

土手《どて》を登《のぼ》りきって、ぼくはだらしなくひと息《いき》いれた。

川原《かわら》を見《み》ると、ずいぶん大勢《おおぜい》のユニホームすがたが見《み》えた。

「スネイクスだ!」

と、ガンちゃんがいって、ぱっと走《はし》りだした。毎年《まいとし》、レッド=リバーズと優勝《ゆうしょう》を争《あらそ》っている、となりの町内《ちょうない》のチームだった。ブラック=キャットとは、なにかにつけていがみあっていた。

ガンちゃんにおくれをとらないように、ぼくも全速力《ぜんそくりょく》で土手《どて》をかけおりた。

「キャプテンだ!」

と、みんなの声《こえ》がとんできた。

(キャプテン、か――。)

やめようとして、のこのこでかけてきたのに、もうはや、体《からだ》がかっと熱《あつ》くなっていた。

「どしたんだ?」

ガンちゃんとならんで、あえぎながら、スネイクスをにらみまわした。

「グラウンドをあけわたせなんていうんです!」

誠《まこと》がこうふんしていった。小《こ》ぜりあいがあったらしく、ちょっとだけど鼻血《はなぢ》をだしていた。

「ふざけるんじゃないよ、キャプテンはだれだ!」

六年《ねん》の山上《やまがみ》くんだってことは知《し》っていたけど、ぼくはわざときいてやった。ちびのころに、上級《じょうきゅう》生《せい》たちにしこまれた場所《ばしょ》取《と》り合戦《がっせん》の手口《てぐち》だった。

「あいかわらず、いせいがいいな。」

と、山上《やまがみ》くんがせせらわらった。ぼくより首《くび》ひとつ背《せ》が高《たか》い。

「やかましい。」

と、ぼくはすぐにさえぎった。

「スネイクスは、いつからそんなにきたなくなったんだよ。ここが十年《ねん》も前《まえ》からブラック＝キャットのホームグラウンドだってことぐらい、ちゃんとわかってんだろ。それを、力《ちから》ずくで取《と》りあげようってのか？　おまえら、めがねの四年生《ねんせい》ぶんなぐって、どうなるか知《し》ってんのか？」

暴力行為《ぼうりょくこうい》は出場《しゅつじょう》停止《ていし》、またはチーム解散《かいさん》、と決《き》まっていた。そのことを、におわせてやった。

「やれるもんなら、やってみろよ。こっちにだってかくごはあるんだ。」

はったりだけど、ぎゅっとバットをにぎりしめた。「そうだ、そうだ。」「帰《かえ》れ、帰《かえ》れ。」

と、みんなも勢《いきお》いづいて、口々《くちぐち》にいった。

「だけどよう。」

山上《やまがみ》くんは、ぼくを見《み》おろしてにやにやしてる。二十人《にん》もの人数《にんずう》だから、よゆうがある。

「おまえら、解散《かいさん》したんじゃなかったの？」

「なんどいったらわかるんだ！」

と、誠《まこと》がさけんだけど、どらねこ、ぼろねこ、つぶれねこ、とはやしたてるスネイクスの声《こえ》に、あっさりかき消《け》されてしまった。

「ゴロ野《や》球《きゅう》やって遊《あそ》ぶんなら、児《じ》童《どう》公《こう》園《えん》でもまにあうだろ。児《じ》童《どう》公《こう》園《えん》でやれよ。あぶなくないように、やわらかあいゴムまりでさ。」

山上《やまがみ》くんのことばに、スネイクスが、わあ！と歓《かん》声《せい》をあげて、またはやしたてた。

解《かい》散《さん》のことばに、ぼくはちょっとたじろいでしまった。ちらっとみんなを見《み》たら、みんな、くやしそうに、スネイクスをにらみつけている。誠《まこと》なんか、くやしなみだが、いまにもこぼれそうだ。さっさといいまかして、追《お》い返《かえ》せ、と、みんながぼくをにらんでる。

（みんな、やる気《き》なんだ——。）

鼻《はな》のおくがきゅんとなって、ことばにつまった。

「山上《やまがみ》、ごたくならべてないで帰《かえ》れ。」

と、ガンちゃんがいってくれた。

「いろいろ事《じ》情《じょう》はあっても、ブラック＝キャットは、そうかんたんには解《かい》散《さん》しないよ。」

「へえ——。」

と、山上《やまがみ》くんはまだにやついてる。

「じゃあ、ちょっとうかがいますけどね、野球《やきゅう》って、いつから八人制《にんせい》になったの?」

集《あつ》まってるぼくらの人数《にんずう》をいった。

ぼくらは、スネイクスをにらみつけて、だまっていた。

「ぱあ入《い》りの八人制《にんせい》になったのか。」

「へえ、知《し》らなかったわあ。」

「おれたちも、メンバーへらさなくっちゃ。」

どっとわらって、

「どらねこ、ぼろねこ、つぶれねこ、万年《まんねん》びりけつ、ねこのけつ。」

とはやしたてながら、引《ひ》きあげていった。

「ちくしょう、きっと、やっつけてやる! コールドゲームにしてやる!」

ぱあといわれたニカちゃんの頭《あたま》をだきしめるようにして、誠《まこと》が血《ち》のまじったつばをはいた。

ぼくらはホームベースをかこんで、だれからともなくこしをおろした。

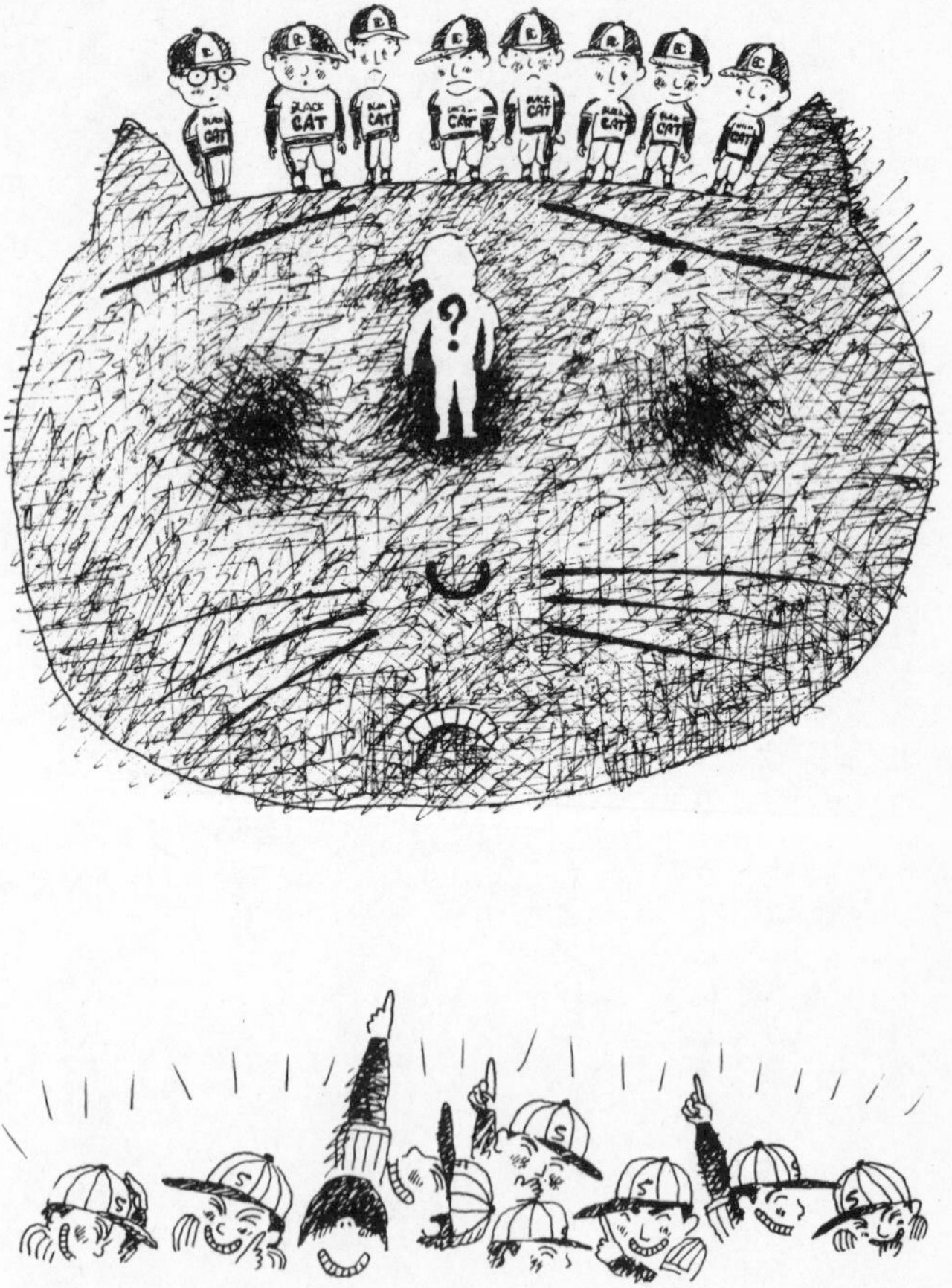
BLACK CAT

「どうしておくれたのさ。二人《ふたり》がもっと早《はや》くきてれば、こんなことにはならなかったんだ。」

と、おとなしい弓削《ゆげ》くんまで、かっかしてる。

ぼくはためらって、ちらっとガンちゃんを見《み》た。

(いえよ。)と、ガンちゃんは目《め》でうながした。

「吉野《よしの》くんが、ブラック＝キャットをやめた。」

と、ぼくはいった。

「それで、ガンちゃんと吉野《よしの》くんのところにいってきたんだ。」

みんながざわめいた。

「あいつ、銀杏塾《いちようじゆく》の夏期《かき》合宿《がっしゆく》だな。」

と、洋太《ようた》くんがガンちゃんと同《おな》じことをいった。

「秀才《しゆうさい》はうらやましいよな。ぼくなんか、二へんも入塾《にゆうじゆく》試験《しけん》受《う》けて、あきらめたもんね。」

みんなが、思《おも》いがけなく、明《あか》るい声《こえ》でわらった。

「それで、これからどうするか、相談《そうだん》したいんだ。」

と、ぼくはいった。

「どうするって、どういうことですか。」

と、誠《まこと》がつっかかってきた。

「ピッチャーもキャッチャーもいなくなって、残《のこ》ってるのは、補欠《ほけつ》の誠《まこと》とニカちゃんとケラぼうも入《い》れて八人《にん》だけだ。これじゃ、どうにもならないじゃないか。」

「どうにもならないって、どういうことですか。」

「まあ、待《ま》てよ、誠《まこと》。」

と、洋太《ようた》くんがいった。

「そりゃ、あれだけのピッチャーとキャッチャーがいなくなったんだから、ショックだけどさ、残《のこ》ったおれたちだけで、なんとかがんばろうと、こういうことだろ？」

洋太《ようた》くんは五年生《ねんせい》で百五十八センチ、六十キロ。ライトを守《まも》ってたんだけど、定位置《ていいち》以外《がい》の飛球《ひきゅう》を追《お》うのは心臓《しんぞう》に悪《わる》いという信念《しんねん》をもっていて、追《お》ったことがない。それで、ぼくは昨夜《さくや》もなやみぬいて、ひかく的《てき》、定位置《ていいち》で捕球《ほきゅう》できるキャッチャーのポジションを考《かんが》えていた。

「いわせてもらえば、ぼくもそれしかないと思《おも》うよ。」

と、百六十五センチの弓削《ゆげ》くんもいった。

「考《かんが》えてみれば、ぼくら、吉野《よしの》くんのばつぐんのコントロールと、岸《きし》さんのホームランに、すっかりたよりきってただろ。ぼくは、かえって、投《な》げだされたほうがよかったんじゃないかとさえ思《おも》うんだ。」

弓削《ゆげ》くんも定位置以外《ていいちいがい》はだめ。去年《きょねん》も人数《にんずう》が足《た》りなくて、ぼくがたのみにいったら、

「ちゃんとグローブめがけて投《な》げてくれれば、はいってもいいよ。」なんていって参加《さんか》してきた。高《たか》くあがった飛球《ひきゅう》には、雨《あめ》のふりそうな日《ひ》でも、「まぶしいい！」なんて悲鳴《ひめい》をあげて、グローブで顔《かお》をかくしてしゃがみこんでしまう。いちどなどは、そうしてる頭《あたま》のてっぺんにボールが落《お》ちてきて、失神《しっしん》したこともある。ぼくの案《あん》では、フライがこないことをいのって、ファースト候補《こうほ》だ。

「残《のこ》った者《もの》でやる。それしかない。」

と、同《おな》じく五年《ねん》の岬《みさき》くんもいった。

「うん、それしかない。」

いつも、そんなふうに短《みじか》くいう。そして、自分《じぶん》のことばにうなずく。もっとなにかいう

のかなと待《ま》ってると、待《ま》ってるぼくらを見《み》てにやっとわらう。色《いろ》が黒《くろ》いから、歯《は》がすごくきれいに見《み》える。足《あし》がはやくてかんはいいんだけど、かっこばかり重視《じゅうし》して、まともにプレーしない。実戦《じっせん》のときでさえ、逆《ぎゃく》シングルでもうれつなゴロをとったようなふりして、送球《そうきゅう》のまねまでする。ボールははるか後方《こうほう》にすっとんでってる。それなのに、グローブを調《しら》べたり、グラウンドをスパイクでならしたりしてる。でも、フライをとるのはうまいし、バッティングもまあまあだ。いままでどおり、レフトに使《つか》えば戦力《せんりょく》にはなる。

それから、四年生《ねんせい》の誠《まこと》。どうして口《くち》のように野球《やきゅう》も上達《じょうたつ》しないんだろう！　目《め》が悪《わる》いことはわかるけど、ひどい！　やる気《き》だけはあるらしいんだけど、足《あし》はおそいし、定位置《ていいち》でとれるようなフライでも、わざわざいったんしゃがんでとびつき、たいていの場合《ばあい》、みごとにエラーする。どういうわけか、シートノックだけはうまい。いちおう、セカンド（ほかにいないから）。

ケラぼうはセンター、ニカちゃんはライト。二人《ふたり》のところに球《たま》がとんでいったら、不運《ふうん》とあきらめるしかない！

一人一人《ひとりひとり》の話《はなし》をききながら、きのうの夜《よる》、そうやって案《あん》を練《ね》ってたことを思《おも》いだしたら、おかしくなって、ついつい、ははとわらってしまった。

しんけんに話《はな》してたみんなが、びっくりしたようにぼくを見《み》た。

（あっ、悪《わる》かったな。）

と思《おも》ったけど、おそかった。

「なんですか、なにがおかしいんですか。ぼくら、へたなのはわかってるけど、残《のこ》ったぼくらだけでがんばるしかないじゃないですか。それとも、スネイクスにこけにされたとおり、解散《かいさん》しようとでもいうんですか！」

誠《まこと》は本気《ほんき》でスネイクスをやっつける気《き》らしい。

「悪《わる》かったよ。」

といったけど、みんな、ガンちゃんまでが、じろりとぼくをつめたい目《め》で見《み》た。ぼくは、また、意地《いじ》になった。

「がんばるのはいいけどさ、はっきりいって、こんなメンバーで、いったいどやって試合《しあい》するんだよ。どやってスネイクスに勝《か》つ気《き》だよ。」

みんなが、口《くち》をひきむすんで、うつむいた。

「こんなチームじゃ、どんなぼろチームとやったって、一回戦《かいせん》でぱあだよ。百対《たい》ゼロだよ。はっきりしてるよ。そんなみっともないまねできるかよ。」

ふてぶてしく、しばらくは、だれも口《くち》をきかなかったけど、

「だから、練習《れんしゅう》しようって、いってるじゃないですか。」

と、誠《まこと》がいどむようにぼくを見《み》た。

(おまえらなんか、いくら練習《れんしゅう》したってむだだよ。)

と、ぼくはいってしまいそうになったけど、

(そんなことというキャプテンがあるかよ。)

と、なんとか思《おも》いとどまった。

「きゅうに上達《じょうたつ》するとは思《おも》わないけどさ、ぼくら、かすりもしなかった吉野《よしの》くんの速球《そっきゅう》、なんとか打《う》てるようになったじゃないか。」

と、のっぽの弓削《ゆげ》くんが、ぼくをなだめるようにいった。

「そうさ、守備《しゅび》だって、練習《れんしゅう》すれば、なんとかなるよ。それに、おれたちが主力《しゅりょく》になっちゃったしね、やる気《き》ださなきゃ、しようがないだろ。」

と、洋太《ようた》くんもいった。

「やる気《き》、それだよ。」

と、岬《みさき》くんがいった。

「やる気《き》、でてきたんだなあ、うん。」

立《た》ちあがって、ビュッとすぶりをした。かっこを気《き》にするだけあって、すぶりはさまになっている。

それを合図《あいず》のように、みんながぞろぞろと立《た》ちあがった。練習《れんしゅう》をはじめる気《き》らしい。

「待《ま》てよ。」

と、ぼくもあわてて立《た》ちあがった。

「だいたい、ピッチャーなしの八人《にん》で、どうやって野球《やきゅう》が成立《せいりつ》するんだよ。」

ぼくは一人《ひとり》でかりかりしていた。

「この中《なか》で、投《な》げてみようってやつが、一人《ひとり》でもいるのかよ。やれるやつ、いるのかよ。」

「あれ、ポジションも考《かんが》えてきてないんですか。」

と、誠《まこと》がいった。

「そんなことは、ちゃんと決《き》めてあるの。問題《もんだい》はピッチャーだよ。」

「あ、決《き》めてあるんなら発表《はっぴょう》しろよ。」

と、みんながきゅうに活気《かっき》づいて、ぼくを取《と》りかこんだ。

(わかってねえなあ！)

と、ぼくはますますかりかりして、どなりつけるように新《あたら》しいポジションと打順《だじゅん》をいった。

「まああってとこだな。」

なんていいながら、みんなは、たいして文句《もんく》もいわずに、

「よし、それでやってみよう。」

と、いせいよくグラウンドにとびだしていった。——ガンちゃんだけが残《のこ》った。

(おかしなぐあいになっちゃったな。)

ぼくはやけで解散《かいさん》することしか考《かんが》えてなかったから、こんなはめになって、すっかりとほうにくれていた。

さっきからなにもいわないガンちゃんを気《き》にしながら、ならんで立《た》って、じっとみんな

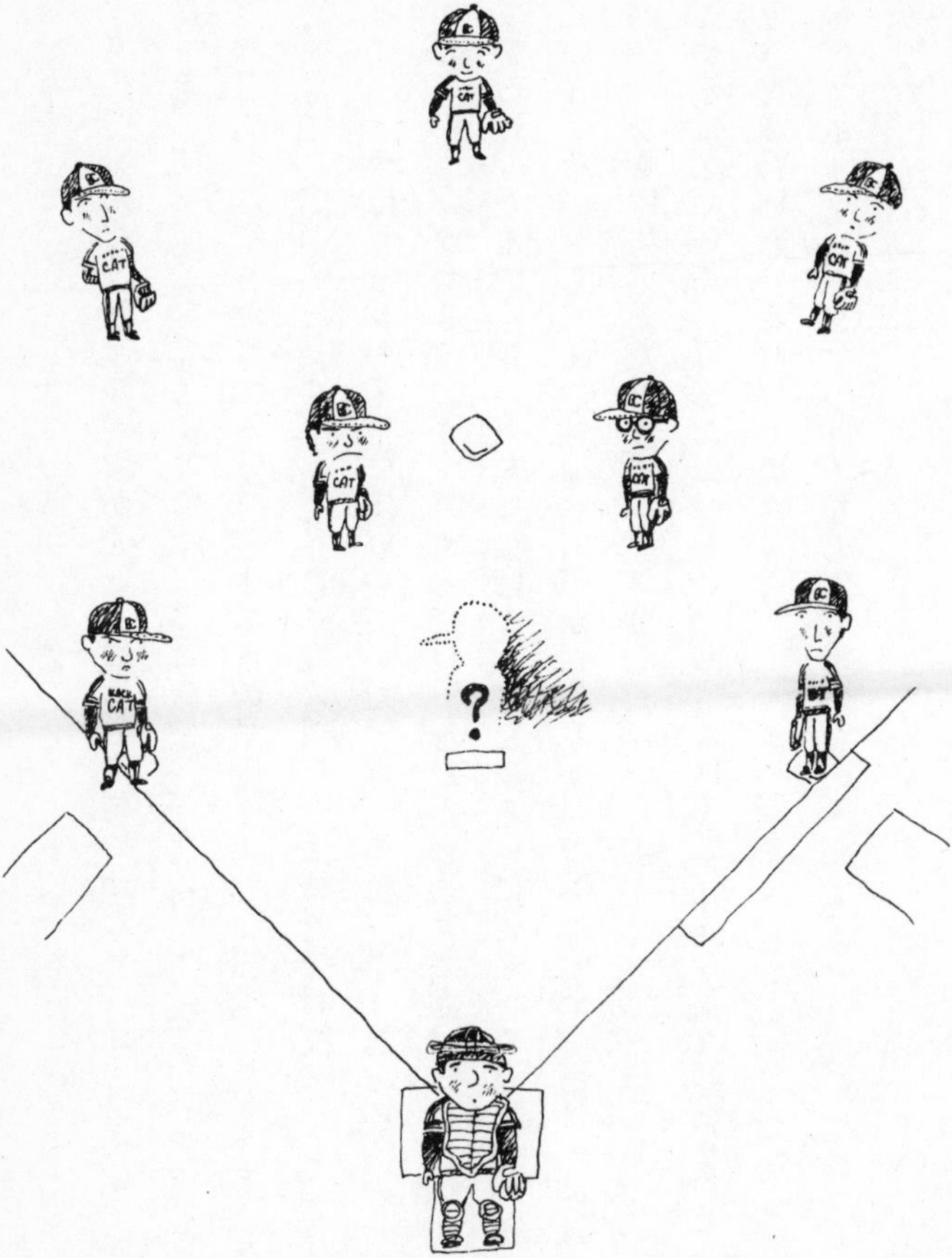
CAT

の練習《れんしゅう》をながめていた。

誠《まこと》がノックしてるんだけど、なかなかまともにはとんでいかない。新《しん》キャッチャーの洋《よう》太《た》くんがはりきって、「セカン！」なんてどなるのはいいんだけど、誠《まこと》のノックしたボールはファーストにとんでったりする。ファーストの弓削《ゆげ》くんは、そのゴロをあごで受《う》けて、「こんなのは、ふつう、こないと思《おも》うよ。」なんて、なき声《ごえ》をあげてる。レフトの岬《みさき》くんはサードに、ケラぼうはショートにはいっていたけど、内野《ないや》フライをとろうとしてごっつんこだ。どちらも、グローブにかすりもしない。球《たま》ひろいのニカちゃんは、球《たま》がとまるまで待《ま》ってひろい、とんでもない方角《ほうがく》に投《な》げて、またひろいに走《はし》る。みんなが、そんなことをやっている。そのうち、誠《まこと》のノックも、からぶりが目《め》だちはじめ、あげくのはてが、つかれてバットを岬《みさき》くんのあたりまでふっとばした。

「代《か》わってやるよ。」「いや、ぼくだ。」「じゃ、じゃんけん。」ホームベースにみんなが集《あつ》まって、とうとうわいわいやりはじめた。

「あいつら、スネイクスをやっつけるなんて、本気《ほんき》なのかねえ。」

ため息《いき》がでた。

「本気《ほんき》だろ。」

と、ガンちゃんはそっけなくいった。

「おれも、本気《ほんき》だよ。」

ぼそっと、つけ加《くわ》えて、のっしのっしとみんなのところにいってしまった。そして、わいわいやってるみんなを、さっと守備《しゅび》につかせると、続《つづ》けざまに十二、三本《ぼん》、もうれつなゴロをノックして、

「ボールをとるときは、目《め》をあけてとれえっ！」

びりびりするような大声《おおごえ》でどなった。

（つまり、キャプテンのぼく一人《ひとり》が、本気《ほんき》になれないんだ……。）

あせった。いまいましかった。どうしてそんなことになっちゃったのか、よくわからなかった。

「ピッチャーはどうするんだ、ピッチャーはっ！」

取《と》り残《のこ》されてぽけっとしてるわけにもいかなくて、ぼくはやぶれかぶれでさけんだ。

「まかせるようっ。」

と、ガンちゃんは高《たか》くバットを立《た》ててわらった。

「いいやつ、めっけてこいようっ。」

と、みんながひらひらとグローブをふった。

(なんてやつらだ! ──ピッチャーがそのへんにごろごろころがってるとでも思《おも》ってんのか!)

のんきなメンバーがいまいましくって、ぼくはバンバンとバットが折《お》れるほど地面《じめん》をひっぱたいた。

だけど、ぼくのほうを見《み》るやつなんて、一人《ひとり》もいない。どこにとんでくるかわからないガンちゃんのノックに、全員《ぜんいん》が集中《しゅうちゅう》している。しんけんな表情《ひょうじょう》で身《み》がまえている。

(ちぇっ、どいつも、かっこだけは一人前《にんまえ》だね。)

鼻《はな》の先《さき》でせせらわらってみたけど、一人取《ひとりと》り残《のこ》されたみたいで、わびしかった。

(さがしてくるか──。)

ふらっと、歩《ある》きだした。

そうするしか、しかたがなかった。

7　ひとりぼっち

どうにもならないほどへたくそなのに、けっこうしんけんに練習《れんしゅう》してたみんなを、いまいましく思《おも》いながら、とけかかったアスファルトの道《みち》を歩《ある》いた。

ピッチャーのあてなんか、なかった。

（ピッチャーをさがしてこいだなんて、あいつら、ぼくのこと、こけにしてんじゃないのかな。）

ひがんでみたりした。

でも、吉野《よしの》くんがいなくなってしまったいま、ピッチャーをなんとかしなきゃならないことだけは、はっきりしていた。

もう、お昼《ひる》に近《ちか》かった。

朝《あさ》からあんパン二こしか食《た》べてないのを思《おも》いだして、たこ松《まつ》で焼《や》きそばでも食《た》べながら、おっちゃんに相談《そうだん》してみようかと思《おも》った。けど——、

(あいつら、まだ練習中《れんしゅうちゅう》だしな。)

一人《ひとり》で、のこのこもどって、なきごというなんて、そんなこと、やっぱりできなかった。だいいち、そんなことしたら、おっちゃんにぶっとばされちゃう。

残《のこ》るのは、ゴロさんのとこだけだ。

ぼうっとしてて、運動神経《うんどうしんけい》もにぶそうだし、野球《やきゅう》なんかも知《し》ってるのかどうか、あやしかったけど、ときどき、どきんとするようなことというし、気晴《きば》らしにはなる、と思《おも》った。

麦塾《むぎじゅく》のドアは、いつもあけっぱなしだ。

「一人《ひとり》でとじこもってると、すぐいねむりしちゃうんだ。ドアあけとくと、きんちょうするだろ。」

なんて、ゴロさんはいうけど、るすのときでさえあいてることがあるから、ただたんに、

ずぼらなだけなのだと思《おも》う。

その日《ひ》も、ドアはあけっぱなしになっていた。

ゴロさんは食事《しょくじ》のさいちゅうだった。

カップラーメンをすってるのが、ろうかからまる見《み》えだった。紺《こん》のランニングシャツ一まいで、だらだらあせを流《なが》しながら、いっしょうけんめいにカップラーメンをすってる。

「まずしいなあ。」

と、ぼくがろうかから声《こえ》をかけたら、「おう。」と、ゴロさんは顔《かお》をあげて、

「粗食《そしょく》こそ健康《けんこう》のひけつだ。」

いばって、ズズズと大量《たいりょう》のラーメンをすすった。

「どうした？　もう練習《れんしゅう》終《お》わったのか？」

ぼくのユニホームすがたを見《み》ていった。

そんなふうにきかれて、なんと答《こた》えていいのか、ぼくはことばにつまった。

「まあ、はいれや。」

と、ゴロさんは陽気《ようき》にいった。

「そこにつっ立《た》ってられると、風《かぜ》がはいってこないんだ。」

「風《かぜ》なんか、ないよ。」

「そのうち、ふくさ、さあっとくるんだ。きたときに、こまるんだ。」

もそもそいって、ごっつおさんと、からになったカップをくずかごにほうりなげた。

カップはくずかごの中《なか》で、カサッとやけにわびしい音《おと》をたてた。

「まずしいなあ。」

と、ぼくはスパイクをぬいであがった。

「たまには、ビフテキでも食《た》べなさいよ。」

するとと、

「あのねえ、そういう発想《はっそう》こそがまずしいというんですよ。」

と、ゴロさんが切《き》り口上《こうじょう》でいった。

「まずしさの反対《はんたい》はゆたかさでしょ。それで、ゆたかさの代表《だいひょう》が、どうしていつでもビフテキなんですか。だいたい、おたくんとこ、中華料理店《ちゅうかりょうりてん》たこ松《まつ》でしょ。たこ松《まつ》のよさは、天下一品《てんかいっぴん》ですよ。たこ松《まつ》のもつ焼《や》きは『もつ』ですよ。庶民《しょみん》のゆたかさは東洋《とうよう》の庶民《しょみん》の味《あじ》でしょ。安《やす》くてうまくて栄養満点《えいようまんてん》。もつ焼《や》きにしょうちゅう、これですよ。これは、ごぞんじのとおり、たびたびやらしてもらっとりますよ。しかるに、そのむすこたるおぬしが、ビフテキとは、なんちゅうなげかわしい！」

こういう話《はなし》になると、ゴロさんはえんえんとしゃべりまくる。手《て》におえない。ぼくは両《りょう》耳《みみ》にひとさし指《ゆび》をつっこんで、ああ、ああといい続《つづ》けた。

ゴロさんはめげずにしゃべり続《つづ》けていたけど、そのうち、にやにやしはじめた。気《き》になって、そっと指《ゆび》をゆるめてみたら、なんにもきこえない。ゴロさんは口《くち》をぱくぱくさせてるだけなのだ。

「あのねえ、おれ、ゴロさんの遊《あそ》び相手《あいて》しにきたんじゃないのっ。それほどひまじゃないのっ！」

「へええ。じゃ、質問《しつもん》の一。——ブラック＝キャットはつぶれかかってるといううわさですが、○ですか、×ですか？」

（あれ？）

と思《おも》った。ゴロさんは、ふざけてるわけじゃないのだ、と思《おも》った。

「ゴロさん、そんなこと、どうして知《し》ってるのさ?」

「見《み》そこなってもらっちゃこまるなあ。おれだって、どらねこ横町《よこちょう》の住人《じゅうにん》なんだよ。」

ぷかあと、たばこをふかした。

「だいいち、新《しん》キャプテン以下《いか》、主力《しゅりょく》メンバーは、麦塾《むぎじゅく》の生徒《せいと》だろ。それくらいのこと知《し》らないで、塾《じゅく》の教師《きょうし》がつとまるかってんだ。」

「へええ、そんなもんかな。」

「そんなもんですよ。——それで、ブラック゠キャットは、どうなっちゃってんの?」

ゴロさんは、けむりの向《む》こうから、じろりとぼくを見《み》つめた。

ぼくはため息《いき》をついて、

「話《はな》せば長《なが》いことなんだ。」

といって話《はな》した。岸《きし》さんたち六年生《ねんせい》のこと、吉野《よしの》くんもやめたこと、ぼくがキャプテンにさせられちゃったこと、たったいま、スネイクスにこけにされたこと、——あらいざらい、すっかり話《はな》した。キャプテンのぼくがやけおこしてるのに、みんなはいまも練習《れんしゅう》してることも、話《はな》しにくかったけど、いきがかりじょう、話《はな》してしまわなければならなかった。

「ふうん、それで、ピッチャーをさがしまわってるってわけか。」

ゴロさんは、しばらくあれこれ考《かんが》えてるようすだったけど、

「ブラック＝キャットに参加《さんか》できそうなやつの名《な》まえをあげてみろ。書《か》いてやる。」

と、えんぴつをにぎった。

ぼくはどらねこ横町《よこちょう》の五、六年生《ねんせい》を中心《ちゅうしん》に、あれこれ考《かんが》えあわせながら、七、八人《にん》の名《な》まえをいった。

ゴロさんは、ていねいに学年《がくねん》と氏名《しめい》を書《か》いた紙《かみ》をわたしてよこして、

「どうだ、だれか落《お》としてないか？　かならずしも、野球《やきゅう》やってるやつでなくちゃいかん、ということはないんだからな。きたえようによって、びっくりするくらい成長《せいちょう》するものなんだからな。もうすこし考《かんが》えてみろ。」

そういって、ぼくにもう四、五人《にん》、名《な》まえをあげさせた。ゴロさんは、それを、またていねいに紙《かみ》に書《か》いて、一人一人《ひとりひとり》、最初《さいしょ》っから検討《けんとう》していった。ニカちゃんやケラぼうていどのやつは、ごろごろいたけど、ピッチャー候補《こうほ》となると絶望的《ぜつぼうてき》だった。

「いないよ、だめだ。」

と、ぼくは何十《なん》ぺんめかの、ため息《いき》をついた。

ゴロさんも、うなった。そして、

「おまえが、やれよ。しこんでやるよ。」

と、しようがなさそうにいった。

「えっ、ゴロさん、野球《やきゅう》できるの？」

びっくりした。

ゴロさんは気《き》どって、ぷかあとたばこをふかした。むっふっふとわらった。

（どうせ、ほらだよ。）

ぼくは、じろじろとゴロさんをながめまわした。そして、

（ピッチャーか……。）

くすぐったいような気持《きも》ちになった。いっぺん、やってみたいなと思《おも》うことはあっても、ほんとにやれるなんて、考《かんが》えたこともなかった。

（やってみるかな。）

ふっと、そんな気《き》になったけど、

（だけど、ショートはどうするんだ。）

おんぼろチームのことを考《かんが》えると、また、ため息《いき》がでた。

「だめだよ。」

「だめか。」

二人《ふたり》で顔《かお》を見《み》あわせて、ううとうなった。

そこに、たったっとかけてくる足音《あしおと》がして、

「お花《はな》っ。」

と、ハーコがとびこんできた。黒《くろ》のT《ティー》シャツにジーンズのショートパンツ。お店《みせ》のてつだいをしてるときのスタイルだ。むねに、赤《あか》や白《しろ》や黄色《きいろ》のチューリップの花《はな》たばをだいている。

「あら、なにやってんの？」

けげんそうに、ぼくを見《み》た。

「みんな、まだ練習《れんしゅう》してるんじゃないの？」

つくえの上《うえ》の花《か》びんに、手《て》ぎわよくチューリップをいけた。殺風景《さっぷうけい》な教室《きょうしつ》が、ぱっと明《あか》るくなっちゃうからふしぎだ。

ぼくとゴロさんが、ごうせいなチューリップをぼんやりながめてたら、

「ねえ、ほんとに、なにやってんの？」

ピッチャー候補《こうほ》の名《な》まえを書《か》いた紙《かみ》を、さっと取《と》りあげて読《よ》んだ。

「なに、これ？」

「かんけいないよ。」

ぼくがさっと取《と》りもどしたら、ハーコは、「なんと！」なんていって、またさっと取《と》りあげて、じっくり見《み》てた。

「わかった。ブラック＝キャットの補《ほ》強《きょう》メンバーの相談《そうだん》ね。」

ずばりと、あてた。

「吉野《よしの》くんまで、やめちゃったからね。」

と、ぼくは弱気《よわき》になってたからはくじょうした。

「へえ。」

と、ハーコはまだ紙《かみ》とにらめっこを続《つづ》けている。

「じゃ、これ、ピッチャー候補《こうほ》なの？」

「そう。」

「これだけ？」

「そうだよ。それで、こまってたのさ。」

「へえ。」

ハーコの表情《ひょうじょう》が、きゅうにつんとかたくなった。

「これだけなの？　へえ、そうなの。」

ひらっと紙《かみ》をまわして、返《かえ》してよこした。

「どうして秀治《ひでじ》くんがぬけてるのよ！」

うで組《ぐ》みをして、ぼくをにらんだ。

（あっ、秀治《ひでじ》か——！）

どきんとした。

考《かんが》えなかったわけじゃない。だけど、りんごを投《な》げつけられたばかりだったし、ずっとまともにつきあってなかったし、だいいち、チームのみんながいやがるんじゃないかと、ぼくはかってに思《おも》いこんで、敬遠《けいえん》してしまってた。

(秀治《ひでじ》か……。)

考《かんが》えこんでしまったぼくに、

「どうして入《い》れてあげないのよ。」

と、ハーコがまたいった。

「ときどき、お化《ば》けビルの柱相手《はしらあいて》に、一人《ひとり》でキャッチボールしたりしてるのよ。知《し》ってる? どうして、ブラック゠キャットの連中《れんじゅう》はさそってやらないのかなって、お父《とう》さんもいってたわ。ねえ、声《こえ》かけたことあるの? 友《とも》だちなんでしょ!」

8　友《とも》だち

（あいつなら、やれるかもしれない。）
だんだん、そう思《おも》うようになった。
だけど、やっぱり、まよった。
チームのみんなは、どう思《おも》うだろう？
秀治《ひでじ》はなんていうだろう？
だいいち、いままで、いっぺんも、ブラック＝キャットにさそったことのないぼくが、
いまさら、どんな顔《かお》をしてたのみにいけばいいのだろう。

ぼくはまよって、つぎの日《ひ》、ガンちゃんに相談《そうだん》した。

「秀治《ひでじ》のこと、どう思《おも》う?」

と、そんなふうにきりだした。

「どうって、投《な》げられるのか?」

ガンちゃんは、なんでもないことのようにいった。

「まず、たしかめてくれよ。それからだ。」

あんまりかんたんにいわれたので、とまどっていると、

「なにを深刻《しんこく》ぶった顔《かお》してんだよ? おれもいっしょにいこうか?」

といった。

ぼくはあわてて首《くび》をふった。

「あしたまでに、たしかめとくよ。」

つい、そういってしまった。

(そうだよな、それさえたしかめないで、なにをうじうじまよってるんだ!)

あたってくだけろだ、と思《おも》った。自分《じぶん》の気持《きも》ちだけにこだわるのはやめよう、と心《こころ》に決《き》

めた。

だけど、決心《けっしん》してでも、ほんとにでかけるまでには、時間《じかん》がかかった。

夕飯《ゆうはん》を食《た》べて、テレビを見《み》て、「友《とも》だちなんでしょ！」と、ハーコにも、ゴロさんにもいわれたことを思《おも》いながら、そわそわしてた。

でも、だんだん時間《じかん》はすぎてくし、あしたになれば、「どうだった？」って、かならずガンちゃんにきかれることは、わかりきっていた。

（ほんとに、もう、あいつは世話《せわ》やかすよな。）

もう八時半《じはん》になっていたけど、えい、くそっという気持《きも》ちで、秀治《ひでじ》の家《いえ》に走《はし》った。

秀治《ひでじ》の家《いえ》は、土手《どて》のすぐ近《ちか》くにある。従業員《じゅうぎょういん》三、四人《にん》ほどのちいさな町工場《まちこうば》だ。洋食器《ようしょっき》を作《つく》っている。一階《かい》が工場《こうば》で、二階《かい》が住宅《じゅうたく》になっていた。

二階《かい》には灯《ひ》がついてなくて、よびりんをおしても、だれもでてこなかったから、まだ機械《きかい》の動《うご》いている工場《こうば》に、首《くび》だけつっこんだ。

「秀治《ひでじ》くん、いますか？」

機械《きかい》の音《おと》に負《ま》けないようにどなったら、ひたいのはげあがった秀治《ひでじ》のお父《とう》さんが、

「いねえよ。なんの用《よう》だ。」

と、うさんくさそうに、ぼくをにらんだ。

「あの、長谷川《はせがわ》ですけど、どこにいったかわかりませんか？」

にげ帰《かえ》っちまいたくなったけど、がんばってきいた。

「え、長谷川《はせがわ》？　あら、あんた、勇《ゆう》ちゃんだよ。」

荷物《にもつ》の山《やま》のかげから、お母《かあ》さんが顔《かお》をのぞかせた。

「しばらくぶりだから、見《み》ちがえちゃったよう。大《おお》きくなったねえ。」

やかましい工場《こうば》から、路地《ろじ》にでてきて、

「まだあいつにも、あんたみたいな友《とも》だちがいたんだねえ。」

目《め》を細《ほそ》めて、ぼくを見《み》た。

暗《くら》い街灯《がいとう》の光《ひかり》の中《なか》で、ぼくは赤《あか》くなってうつむいてしまった。

「あれ以来《いらい》、先生《せんせい》には見放《みはな》されるし、学校《がっこう》の成績《せいせき》はひどくなるし。へんな中学生《ちゅうがくせい》なんかとおそくまで遊《あそ》んでくるしでさ。さっきもね、父《とう》ちゃんがやき入《い》れたんだよ。そしたら、ぷ

いっとでてっちゃってね。もう、手《て》におえないんだよ、あの子《こ》。」

なみだ声《ごえ》になったから、行《ゆ》き先《さき》はわからないかと、いそいできいた。わからない、と、お母《かあ》さんは首《くび》をふって、たのむね、勇《ゆう》ちゃん、といった。

(ケンのマンションか、お化《ば》けビルだな。)

自《じ》信《しん》はなかったけど、まず、ビルのほうにいってみることにした。

昼《ひる》でも人通《ひとどお》りのすくないお化《ば》けビルのあたりは、夜《よる》になるとしんと静《しず》まりかえって、ほんとうにうすきみが悪《わる》い。ぼやっとした赤《あか》い月《つき》が、床《ゆか》と柱《はしら》だけのビルを黒々《くろぐろ》とうきあがらせている。

「秀治《ひでじ》——。」

こわくなって、そっとよんでみた。その声《こえ》が、やけに大《おお》きくひびいて、むねがどきどきした。

「秀治《ひでじ》い、いないのか?」

なんどめかによんだとき、かすかな物音《ものおと》がして、人影《ひとかげ》が黒《くろ》く、二階《かい》に立《た》った。

(やっぱり、ここだったのか。)

顔《かお》はわからなかったけど、とっさに、秀治《ひでじ》にまちがいないと思《おも》った。

「たのみがあってきたんだ、あがってくぞ。」

顔《かお》が見《み》えないせいなのか、うすきみ悪《わる》いまわりのせいなのか、すらっといえた。

秀治《ひでじ》の返事《へんじ》はなかったけど、階段《かいだん》のように、いくほんもとびだした鉄骨《てっこつ》を足場《あしば》にして、おそるおそる二階《かい》にあがった。さびた鉄骨《てっこつ》のざらざらしたかんしょくをてのひらにたしかめながら、あんなちびのときに、四階《かい》までもよくあがれたなと、三年《ねん》のころのことを思《おも》った。おりられなくなって、秀治《ひでじ》と二人《ふたり》でわあわあないてしまったのだけど、あのころ、なんであんなに高《たか》くまであがれたのだろう? ——一度《ど》、ずるっと足《あし》をすべらせて冷《ひ》やあせをふきだし、それでも、ようやく二階《かい》にはいあがった。

「なにしにきた。」

月《つき》を背《せ》にして、秀治《ひでじ》が立《た》っていた。

ぼくはほうっと息《いき》をはいて、コンクリートの柱《はしら》に背《せ》をもたせかけた。コンクリートはしめっぽくて、つめたかった。

「ブラック＝キャットにはいれよ。」

たのみにきたはずなのに、なんだかけんかごしになってしまった。

秀治《ひでじ》はつっ立《た》ったまま、しばらくぼくを見《み》すえていた。青《あお》いりんごを、てのひらでもてあそんでいる。

「なんだよ、きゅうに。」

と、秀治《ひでじ》はいった。どなりつけられると思《おも》ったのに、秀治《ひでじ》はとまどってるようすだった。

(あれ?)

と、ぼくは秀治《ひでじ》の顔《かお》をあらためて見《み》た。

「はいれよ。スネイクスをやっつけるんだ。」

と、ぼくは意気《いき》ごんだ。

「調子《ちょうし》にのんじゃないよ。」

と、秀治《ひでじ》が間《ま》をおいていった。

「用《よう》はそんだけか。」

とりつくしまのない口調《くちょう》に変《か》わった。

(やっぱり、だめか……。)

がっくりきて、下《した》を見《み》おろした。かべのないビルは意外《いがい》に高《たか》く、足《あし》がすくんだ。

「よくここがわかったな。」

と、秀治《ひでじ》がいった。

「ああ。」

と、ぼくはめんどうくさそうにうなずいて、

「家出《いえで》したっていうからさ。」

ずるずると柱《はしら》に背《せ》をおしつけて、床《ゆか》にしゃがみこんだ。

「おんもしろくもねえもんな。」

と、しばらくして、秀治《ひでじ》がいった。

「なにが？」

「なんでもかんでもよう。」

「野球《やきゅう》は？」

ぐっと息《いき》をのみこんで、いった。

「ちぇっ、がきの遊《あそ》びじゃねえか。」

秀治《ひでじ》はぼくを見《み》て、せせらわらった。

「じょうだんいうなよ。チーム作《づく》りの苦労《くろう》なんて、おまえにわかるかよ。」

と、ぼくはつっかかった。

「苦労《くろう》だって？」

秀治《ひでじ》はへらへらと、ばかにしてわらった。

「六年生《ねんせい》ににげられたり、スネイクスにぶんなぐられたり、か。」

なんでも知《し》ってるらしい。

「そう。それで、おれはピッチャーさがしに苦労《くろう》してるわけ。」

「ピッチャー？——吉野《よしの》ってのがいるじゃねえか。」

「あいつにもにげられたのっ。わらえ、わらえ！」

「なんでにげたんだよ？」

「知《し》るわけないだろっ。どうせ、おっかさんかなんかのせいだろ。」

「へえ。」

秀治《ひでじ》は、ちらっと横目《よこめ》でぼくを見《み》た。

「それで、おれが、そのあなうめかよ。」

「……………」

いわれて、どきっとした。

「そんないいかたってないだろ。おまえなら、きっと投《な》げられると思《おも》ったから、だから
――。」

「知《し》ったこっちゃねえや！」

と、秀治《ひでじ》はどなった。声《こえ》が天《てん》じょうにはんきょうして、ワンワンと鳴《な》った。

「ふざけるんじゃないよ、いまさらよ……。」

間《ま》をおいて、秀治《ひでじ》は、低《ひく》くつぶやいた。

（そうだよな、ほんとに、いまさら、だよな。）

ぼくは、もうなにもいえなかった。

しばらくだまりこくってたけど、息苦《いきぐる》しくなって、ぼくはパタパタと半《はん》ズボンのしりをたたいて立《た》ち、静《しず》かにひとつ深呼吸《しんこきゅう》をした。

秀治《ひでじ》はそっぽを向《む》いていた。がんじょうそうなほお骨《ぼね》のあたりがくっきりと見《み》えた。お

めて思《おも》った。

となのような顔《かお》だった。ぼくら、もう、ちびだったころの二人《ふたり》じゃないんだな、とあらためて思《おも》った。

「じゃあな。」

のろのろと鉄骨《てっこつ》に手《て》をかけて、もいちど、みれんがましく秀治《ひでじ》を見《み》た。

思《おも》いがけなく、秀治《ひでじ》がふりかえり、いっしゅん、目《め》があった。

「ほんとに、こんなとこで夜《よ》をあかすつもりなのか？」

と、ぼくはきいた。

秀治《ひでじ》は答《こた》えなかった。うろうろと視線《しせん》をさまよわせた。

「おれんちにこいよ。」

と、ぼくはいった。

「なあ、こいよ！」

だまってしまった秀治《ひでじ》を見《み》てたら、どうしてだかしらないけど、むねがつまった。ちびだったころみたいに、わあわあないてしまいたいような気分《きぶん》になって、ずんずん先《さき》に立《た》ってお化《ば》けビルをおりたら、あとから、秀治《ひでじ》もゆっくりとおりてきた。

「おまえよ、ここのあがりかた、よく覚《おぼ》えてたな。」

地面《じめん》におりついたら、秀治《ひでじ》がぼそぼそと、ひとりごとみたいにいった。

「わすれるわけないだろ。」

と、ぼくもそっぽを向《む》いて、おこったような声《こえ》でいった。

それきり、二人《ふたり》とも、だまってぼくの家《いえ》の方角《ほうがく》に向《む》かった。はっきり、いいたいことがあったのに、やっぱり、いえなかった。秀治《ひでじ》も、きっと、そうだったのだと思《おも》う。

ぼくの家《いえ》に近《ちか》づくにつれて、秀治《ひでじ》はそわそわしはじめた。

「やっぱり、やめとくわ。」

と、秀治《ひでじ》は店《みせ》の前《まえ》まできていった。

「おまえんとこ、たしか、二間《ふたま》しかなかったもんな。」

二階《かい》を見《み》あげて、両手《りょうて》でせわしなくりんごをもてあそんでる。

「それによ、ペチャと顔《かお》あわすのやなんだよ。」

ペチャっていうのは、ハーコのちびのときのあだ名《な》だった。

「なんでだよ、どうってこたないよ。」

「やなんだよ。あいつ、いろいろ、ちゃんとやってくれたのによ——。」

と、ぼくはいった。

もごもごと口《くち》の中《なか》でつぶやいた。

万引《まんび》き事件《じけん》のあとでも、ハーコが、きちんと宿題《しゅくだい》を持《も》っていったり、さそいにいったりしたことをいっているのだった。

「いいじゃないか、とまってけよ。」

と、ぼくの声《こえ》は弱々《よわよわ》しくなってしまった。

「ちゃんと帰《かえ》るさ、心配《しんぱい》するなって。」

秀治《ひでじ》はハーコの家《いえ》のほうを気《き》にしているふうだったけど、ふいに、手《て》に持《も》っていたりんごを、ぼくめがけて、ひょいとソフトボールのようにほうり投《な》げてよこした。

とっさのことだったし、秀治《ひでじ》は意地悪《いじわる》くわざと一メートルほど手前《てまえ》に投《な》げてよこしたから、落《お》とすまいとして、つんのめって、ぼくがおたおたとりんごをお手玉《てだま》にしてるすきに、

「あばよ。」

と、かけ去《さ》っていった。

「あした九時《じ》だぞ。ねぼうするなよ！」

りんごをようやくつかまえて、ぼくは秀治《ひでじ》の背《せ》中《なか》に向《む》かってどなった。

9 剛《ごう》速《そっ》球《きゅう》

つぎの日《ひ》の朝《あさ》――。

八時《じ》半《はん》ごろから、ぼくはガンちゃんと二人《ふたり》で、土手《どて》の上《うえ》に立《た》っていた。

九時《じ》までに、ブラック＝キャットのメンバー全員《ぜんいん》が集合《しゅうごう》したけど、秀治《ひでじ》はこなかった。

（きっと、くる。）

と信《しん》じてたから、がっくりだった。あきらめきれなかったけど、しようがない、と思《おも》った。ピッチャーとして、どんなにへぼでも、ぼくかガンちゃんかが、がんばるしかない、と思《おも》った。

町内対抗試合《ちょうないたいこうじあい》までには、まだ一か月《げつ》あったけど、これ以上《いじょう》もたもたしてるわけにはいかなかった。

「さあ、はりきっていくぞ！」

土手《どて》に背《せ》を向《む》けて、みんなにどなった。

だけど、みんなのようすがおかしい。

「どうした？」

ときいたら、誠《まこと》が学級会《がっきゅうかい》みたいに、はいと手《て》をあげた。

「あのう、ピッチャーの件《けん》は、どうなったんですか？　もう、決《き》めちゃったんですか？」

誠《まこと》らしくもなく、おずおずときいた。

「まだだ。」

と答《こた》えると、みんながほっとしたようにざわめいた。

「それが、どうかしたのか？」

「ええ、そのことなんですけどね。」

と、誠《まこと》がめがねをおしあげて、ぐっとぼくの顔《かお》をのぞきこんできた。

「ぼくら、ちょっと話《はな》し合《あ》ったんですけどね、ピッチャーって、チームの中心《ちゅうしん》になる人《ひと》でしょ。それで、あんまりへんな人《ひと》だと、チームワークがみだれるんじゃないかなって、それで――。」

と、あとは上目《うわめ》づかいにぼくを見《み》て、ことばをにごした。

（そうか、やっぱり、みんなも、すぐに秀治《ひでじ》のことを考《かんが》えたんだな……。）

そうだったのか、と、ぼくは一人一人《ひとりひとり》の顔《かお》を見《み》まわした。目《め》があうと、みんな、ぐあい悪《わる》そうに視線《しせん》をそらした。

秀治《ひでじ》とぼくは友《とも》だちだから、かならず秀治《ひでじ》を連《つ》れてくる、とみんなが思《おも》っているらしいことを知《し》って、たじろいだ。

（ひでえ友《とも》だちだよな！　ハーコにいわれて、ようやくしぶしぶでかけたんだもんな！）

「くだらない心配《しんぱい》するなよ。」

と、ぼくはいった。

「ピッチャーのことは、おれにまかせたんだろ？　どんなピッチャーがはいってきたって、だいじょうぶなように、一人一人《ひとりひとり》、がっちり実力《じつりょく》をつけてくれよ！」

しゃべってるうちに、だんだん、みんなにはらがたってきた。

「あれこれ考《かんが》えてるひまがあったら練習《れんしゅう》しろよ！　へたなやつどうしが、チームワークがどうのなんて、えらそうなこといって、てれてれ練習《れんしゅう》して、へたなことかばいあってるようじゃ、どうにもならないんだ。スネイクスの連中《れんじゅう》に、またこけにされるだけなんだ。

──おれは、そんなのは、いやだ！」

きゅうにぼくがどなりだしたものだから、みんな、顔《かお》をうつむけてしらけてたけど、

「円陣《えんじん》を組《く》め！」

と、すかさずガンちゃんがいってくれた。

「ブラック＝キャット、ファイト！」

と、ぼくはさけんだ。

「ファイト、ファイト、ファイト！」

と、みんなが、しようがなさそうに唱和《しょうわ》した。

「ブラック＝キャット、ファイト！」

ぼくはみんなをどなりつけて、しつこくファイトをくり返《かえ》した。

(よし、なんとしてでも、あいつをブラック＝キャットのピッチャーにしてやる。てれてれしてんのがチームワークだなんて、じょうだんじゃないよ。それで優勝《ゆうしょう》できるんなら、苦労《くろう》はないんだ！)

みんなのうんざりしたようなファイトの声《こえ》をききながら、ぼくは、そんな気持《きも》ちになって、一人《ひとり》熱《あつ》くなった。

柔軟体操《じゅうなんたいそう》を終《お》えて、練習《れんしゅう》にうつると、ぼくはがんがん打《う》ちまくった。そして、かたっぱしから、みんなをどなりつけた。かなりひどいこともいった。

「はりきってるな。」

ひと息《いき》いれたときに、キャッチャーの洋太《ようた》くんがわらいかけてきた。大《おお》きな体《からだ》に、プロテクターがぴったりして、かっこうだけはさまになってる。

「だけどさ、あんまり、へた、へたって、どなるなよ。みんな、きずついちゃうよ。」

ボールをわたしてくれながら、じょうだんめかしていった。

むきになってるぼくを、リラックスさせようとして、忠告《ちゅうこく》してくれたのだけど、ぼくは洋太《ようた》くんを無視《むし》して、三、四本続《ほんつづ》けざまにもうれつなゴロを打《う》ち、つぎつぎとエラーするみんなに、「やる気《き》あんのかっ！」などと、どなり続《つづ》けた。

みんなが、打《う》ったボールのほとんどをエラーする。返球《へんきゅう》は、ぽてんぽてんと力《ちから》なくころがってくる。足《あし》でもとれる球《たま》だ。ガンちゃんの返球以外《へんきゅういがい》は、内野《ないや》からでも、半分《はんぶん》はワンバウンドだ。

それを、洋太《ようた》くんはもたもたと捕球《ほきゅう》する。たまに勢《いきお》いよくとんできたボールも、一メートル以上《いじょう》はなれていたら、最初《さいしょ》からあきらめて、バックネットにまかせている。

「はげしい動《うご》きは、心臓《しんぞう》にふたんがかかるからね。」

まっ白《しろ》なハンカチで、ゆうゆうとあせをぬぐったりする。

「レフト、いくぞっ！　もたもたするなっ！」

ぼくはますますむきになって、つうれつなライナーを打《う》った。

「まかしとけっ！」

と、岬《みさき》くんはダッシュして、とびつき、空中転回《くうちゅうてんかい》でもやるように、ごろごろところがった。ボールはグローブにかすりもしないで、土手《どて》の斜面《しゃめん》にまで登《のぼ》り、ころころところがり落《お》ちてきた。

ため息《いき》がでた。

「やっぱり、へただな。」

へへと、洋太《ようた》くんがわらった。

ぼくは無表情《むひょうじょう》に洋太《ようた》くんからボールを受《う》け取《と》り、

「もういっちょう！」

と、レフトの岬《みさき》くんをにらんで、またライナーをとばした。

そのとき、サイクリング車《しゃ》が二台《だい》、土手《どて》の斜面《しゃめん》を、ものすごい勢《いきお》いでかけおりてくるのが見《み》えた。

（秀治《ひでじ》――！）

秀治《ひでじ》とケンだった。

気《き》がつかなかったけど、土手《どて》の上《うえ》で、ずっとぼくらの練習《れんしゅう》をながめていたらしい。

秀治《ひでじ》のサイクリング車《しゃ》は、岬《みさき》くんがまたエラーするのを見《み》こしていたように、カバーにはいり、トンネルしたボールを、急《きゅう》ブレーキをかけた前輪《ぜんりん》ではねあげた。

岬《みさき》くんは、かっこをつけるひまもなく、びっくりして立《た》ちすくんでいる。

濃紺《のうこん》のT《ティー》シャツを着《き》た秀治《ひでじ》は、サイクリング車《しゃ》をケンにあずけると、ゆっくりかがんでボールをひろった。

「……………」

たしかめるように、ぼくのほうを見《み》つめてかまえ、そして、投《な》げた。

五十メートルくらいのきょりだった。

そのきょりを、ボールはうなりをあげるようにしてとんできて、おろおろときんちょうしてかまえた洋太《ようた》くんのミットに、ノーバウンドで、ドスッとおさまった。

「はいったあ……!」

と、洋太《ようた》くんは気《き》のぬけたような声《こえ》をあげた。

「はいっちゃったよ……。」

向《む》こうからとびこんできてくれたようなボールを、ミットの中《なか》にたしかめて、洋太《ようた》くんは目《め》をまんまるくしてたけど、はっと、われにかえったように、

「はいったぞうっ!」

と、秀治《ひでじ》に向《む》かって、高々《たかだか》とボールをあげて見《み》せた。

ふっと、秀治《ひでじ》がわらったようだった。

声《こえ》をかけようとしたら、サイクリング車《しゃ》にとびのって、ケンといっしょに斜面《しゃめん》のほうに走《はし》り去《さ》ってしまった。

「秀治《ひでじ》いっ！」

と、ぼくはよんでみたけど、ケンがちらっとふりかえっただけだった。

10　つきあいは五分《ぶ》だ

練習《れんしゅう》を中断《ちゅうだん》して、ぼくらは秀治《ひでじ》について話《はな》し合《あ》った。

「あの球《たま》が必要《ひつよう》なんだ。ブラック＝キャットには、あいつが必要《ひつよう》なんだ。」

ぼくが熱《あつ》くなればなるほど、みんなはだまりこんだ。

〈不良《ふりょう》〉が、チームの中心《ちゅうしん》のピッチャーになるという、わりきれない気持《きも》ちと同時《どうじ》に、いま目《め》の前《まえ》で見《み》せつけられた剛速球《ごうそっきゅう》の実力《じつりょく》に、とまどっているのだった。

「だけど、ほんとに、ピッチャーとして使《つか》えるんですかねえ。」

と、ようやく誠《まこと》が口《くち》を開《ひら》いた。イレギュラーしたバウンドをあごに受《う》けて、顔《かお》がはれあ

がってる。

「それは、おれとガンちゃんとでたしかめるよ。——問題《もんだい》は、おれたちさ。おれたちが、あいつを、受《う》け入《い》れるのかどうか、さ。」

一人《ひとり》一人《ひとり》の表情《ひょうじょう》を、すばやくさぐった。

みんな、また、だまってしまった。

「とにかくさあ。」

と、洋太《ようた》くんがキャッチャーミットの中《なか》をのぞきこむようにして、

「すごい球《たま》だってことは、たしかだよ。」

こうだもんね、と秀治《ひでじ》の投《な》げた球《たま》がとんできたようすを、身《み》ぶりでしめして、「ブーン、ドスッ！」と、みんなをわらわせた。

「あんな球《たま》、近《ちか》くから投《な》げられたらどうしようって、ぶるっちゃうけどさ。でもさ、野球《やきゅう》やってる気《き》はするよな。——いまんとこ、マスクもプロテクターも、かぜひいちゃってんだからね。」

「それは、いえる。」

と、岬《みさき》くんがいった。

「うん、それは、いえるよ。」

それで、だまったから、ぼくが口《くち》を開《ひら》こうとしたら、岬《みさき》くんは、ぱっとぼくの口《くち》をおさえて、

「投《な》げるときさ、あいつ、しんけんな顔《かお》だったぜ。――うん、しんけんだった。」

しばらく、一人《ひとり》でうんうんとうなずいていた。

ぼくは、もう、なにもいわなくてもいいんだ、と思《おも》った。自《じ》分《ぶん》のことでもないのに、うれしかった。

「こんどは、マウンドから投《な》げるのを見《み》せてもらおうよ。」

と、弓削《ゆげ》くんがいった。

「ぼくら、敬遠《けいえん》ばかりしてたもんね。優勝《ゆうしょう》するには、やっぱり、勝負《しょうぶ》かけなきゃね。」

弓削《ゆげ》くんのことばが結論《けつろん》になった。

お昼《ひる》を食《た》べたあと、ぼくとガンちゃんと洋太《ようた》くんの三人《にん》で、そのことをたのみに、秀治《ひでじ》

の家《いえ》にいった。

秀治《ひでじ》は、ケンといっしょにグローブの手入《てい》れをしていた。

ぼくらがへやにはいっていくと、そのグローブを、ベッドのすみにほうり投《な》げてかくした。

「ほんとに、よくきてくれたねえ。」

と、お母《かあ》さんが、仕事中《しごとちゅう》だったのに、わざわざあがってきて、すいかを切《き》ってすすめてくれた。

「さあ、どんどん食《た》べとくれよ。お友《とも》だち、こんなにきてくれたの何年《なんねん》ぶりかね。ねえ、ヒデちゃん。」

「しらねえよ。もう、いけよ。」

と、秀治《ひでじ》はじろっとお母《かあ》さんをにらんだ。

「ほんとに、もう、こうなんだから。」

と、お母《かあ》さんはぼくを見《み》て、

「ゆっくりしてってくださいね。」

BLACK CAT
BLACK CAT
BLACK CAT

ガンちゃんと洋太《ようた》くんに頭《あたま》をさげてでていった。

「くそばばあ！」

と、秀治《ひでじ》はいって、すいかにかぶりついた。

「そんなこというなよ。」

と、ケンがちいさな声《こえ》でいった。

「だって、そうじゃねえか。おまえはしょっちゅう遊《あそ》びにきてんのによ、いっぺんでも、こんなものだされたこと、あるかよ！」

と、秀治《ひでじ》がいった。最初《さいしょ》から、気《き》まずいふんいきになってしまった。

ぼくらはだされたすいかを、「うまいな。」とかなんとか、もごもごいって、食《た》べ続《つづ》けた。

下《した》の工場《こうば》の機械《きかい》の音《おと》が、かなりやかましくきこえてきて、へやは息《いき》がつまりそうなほど、むし暑《あつ》かった。

「用《よう》があるんなら、早《はや》くいえよ。」

と、やがて、秀治《ひでじ》がいらいらしていった。

ぼくはあわてて、すいかにむせて、

「ブラック＝キャットで、投《な》げてくれないか。」

と、早口《はやくち》にいった。

みんなが、息《いき》をのんで秀治《ひでじ》を見《み》つめた。

「ピッチャーってことか。」

と、秀治《ひでじ》がたしかめた。

「いっぺん、マウンドから、投《な》げて見《み》せてほしいんだ。」

と、ぼくはことばをぼかした。

「あ？ テストするってえのか？」

「きみのボールは、あの返球《へんきゅう》しか見《み》てないからね。ピッチャーとしてのボールを、ぜひ見《み》せてもらいたいんだ。」

と、ガンちゃんが助《たす》けてくれた。

「へっ、おんぼろチームが、おれをテストするんだとよ。」

と、秀治《ひでじ》はケンを見《み》て、二人《ふたり》でへらへらとわらった。

「テストってほどのことじゃないよ。まあ、始球式《しきゅうしき》っていうようなところさ。」

と、洋太《ようた》くんがキャッチャーミットをポンポンとたたきながらいった。

秀治《ひでじ》は、そのようすをちらちら見《み》てたけど、

「それで、テストに合格《ごうかく》したらよ、――ケンもいっしょでいいのか？」

じろりと、ぼくらを見《み》まわした。

そんなこと、考《かんが》えてもみなかった。

ぼくらは、たがいに顔《かお》を見《み》あわせて、ううんと、うなってしまった。

（不良《ふりょう》は一人《ひとり》でたくさんだ。）

というような気持《きも》ちが、ちらちらしてた。

「だめかよ。」

と、秀治《ひでじ》がすごんだ。

「おまえらも、やっぱり、センテキやばばあといっしょだな。」

「やめてくれよう。」

ケンがくすぐったそうにわらった。

「おれあ、いいよ。おれあ、チームの規律《きりつ》だとかなんだとか、かたっ苦《くる》しいのは、きらい

なんだ。」

立《た》ちあがって、ドアのほうにいきかけた。

「なんだよ、帰《かえ》るのか。」

と、秀治《ひでじ》も立《た》ちあがった。

「よせよう、ヒデさん。」

と、ケンはいった。

「ヒデさんは、かってにやってくれよ。あんな球《たま》、コンクリートにぶっつけてるだけじゃ、もったいねえよ。おれあ、おれで、かってにやるんだから。」

秀治《ひでじ》がとめるのをふりきって、ケンは黒《くろ》いサイクリング車《しゃ》でいってしまった。

秀治《ひでじ》はまどからしばらく見送《みおく》っていたけど、

「おれも、やめだ。」

と、ふりかえっていった。

「テストまでされて、頭《あたま》さげてよ、なにもおんぼろチームにはいることはねえもんな。」

ぼくらは、息《いき》をつめて、ちらっと顔《かお》を見《み》あわせた。

「いいすぎだろ、秀治《ひでじ》。」

ぼくはどなりつけてやりたいのをしんぼうして、低《ひく》くいった。しんぼうして、ブラック＝キャットを続《つづ》けてきたガンちゃんの顔《かお》を、まともに見《み》れなかった。

「いいなあ、才能《さいのう》のあるやつは。」

と、洋太《ようた》くんも投《な》げやりな口調《くちょう》になった。

(こんなにまでしてもだめなら、もう、しようがない。)

「いこうか。」

と、ぼくは立《た》ちあがった。

「これで、まぼろしの剛速球《ごうそっきゅう》もぱあか。」

洋太《ようた》くんも、ちょっと残念《ざんねん》そうだったけど、ミットをたたきながら立《た》ちあがった。

ガンちゃんだけが、すわったままだ。

「いこうよ、しようがないよ。」

と、ぼくがユニホームを引《ひ》っぱったら、

「ばかやろう。」

と、ガンちゃんは静《しず》かにいった。

「チームをぶじょくされて、のこのこなかまのところに帰《かえ》れるか。」

そういった。

ぼくら、びっくりしてしまった。

秀治《ひでじ》も、「なにい！」なんて、つっぱったけど、すっかりどぎもをぬかれている。

「てめえ、やるってえのかよ！」

「やるさ。」

ガンちゃんが、のっそりと立《た》ちあがった。

「おまえが投《な》げる、おれが打《う》つ。おまえは、一人《ひとり》で野《や》球《きゅう》するつもりらしいからな、おれにヒットを打《う》たれたら負《ま》けだ。フォアボールも、デッドボールも負《ま》けだ。三振《しん》かピッチャーフライにすれば、おまえの勝《か》ちだ。二時《じ》に川原《かわら》だ。文句《もんく》はないな！」

ドスッと秀治《ひでじ》のかたをたたいて、さっとへやをでた。

「てめえ、なめやがって！」

と、秀治《ひでじ》がわめいたけど、ガンちゃんはもうトントンと階段《かいだん》をおりていってしまった。

「二時《じ》ってのはきついなあ。もう、一時間《じかん》もないよ。——すこし投球練習《とうきゅうれんしゅう》する？　受《う》けてやるよ。」

なんて、洋太《ようた》くんはいったけど、

「うるせえ、でぶ！」

とどなられて、あわてて階段《かいだん》をかけおりていった。

「おまえ、ほんとに、そんなに自信《じしん》があるのか？」

と、ぼくはきいた。

「うるせえ、帰《かえ》れ！」

と、秀治《ひでじ》はいまにもなぐりかかってきそうな勢《いきお》いだったけど、

「ばかだよ、おまえ！」

と、ぼくは、とうとういってしまった。

「一人《ひとり》で、なにをいきがってんだよ。そりゃ、ブラック＝キャットは、いまんとこ、たしかにおんぼろだけどな、コンクリート相手《あいて》にやるよりは、よっぽど楽《たの》しいよ！」

いい終《お》わらないうちに、バシッと秀治《ひでじ》の平手《ひらて》がほおにとんできた。

(これでいいんだ。)

と、ぼくは秀治《ひでじ》とにらみあって思《おも》った。いままで、いっぺんもブラック＝キャットにさそわなかったうしろめたさが、それでふっきれたと思《おも》った。

(やっと、五分《ぶ》でつきあえる。)

そう思《おも》った。

「にげるなよな。おれだって、勝負《しょうぶ》するぞ。」

ぼくはスパイクのひもをぎゅっとちぎれるくらいにしめて、ゆっくりと階段《かいだん》をおりた。

11 男《おとこ》たちの勝負《しょうぶ》

秀治《ひでじ》とブラック＝キャットが対決《たいけつ》するというニュースは、あっというまに、どらねこ横《よこ》町《ちょう》のすみずみにまでひろまった。

定刻《ていこく》の二時《じ》には、二、三十人《にん》の見物人《けんぶつにん》が川原《かわら》に集《あつ》まっていた。大半《たいはん》はひまな小学生《しょうがくせい》だったけど、ハーコや、ロクさんや、たこ松《まつ》をサボったおっちゃんや、ゴロさんや、松《まつ》の湯《ゆ》のおじいちゃんなんかもいた。

もちろん、ブラック＝キャットのメンバーは、全員《ぜんいん》、ユニホームすがたで集《あつ》まっていた。

秀治《ひでじ》は、二時《じ》をちょっとすぎたころに、いつものT《ティー》シャツすがたで、サイクリング車《しゃ》に

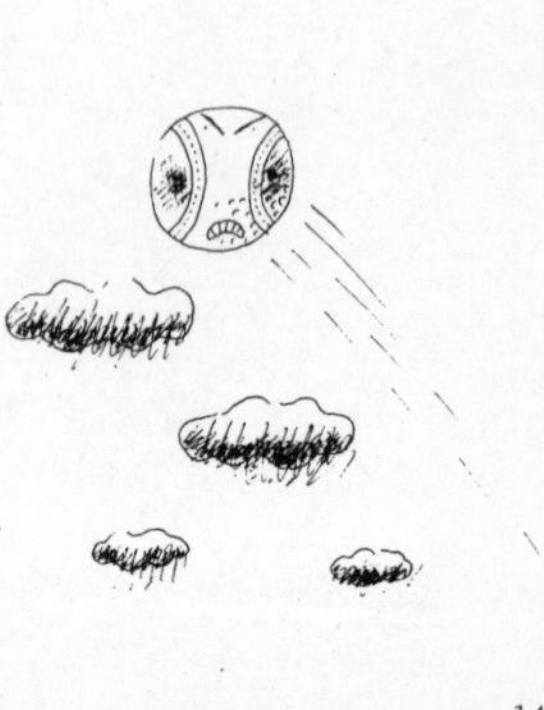

のってあらわれた。やっぱり、ケンがいっしょだった。

「見《み》せ物《もの》じゃねえんだ。」

と、まず秀治《ひでじ》が、見物人《けんぶつにん》のことで文句《もんく》をいった。

「野球《やきゅう》を見物《けんぶつ》するのは、自由《じゆう》だろ。」

と、ガンちゃんがつっぱねて、予定《よてい》どおり、この場《ば》で勝負《しょうぶ》をすることになった。

立会人《たちあいにん》は、おっちゃんということで、問題《もんだい》なく、すんなり決《き》まり、おっちゃんを加《くわ》えて、ルールを決定《けってい》することにした。

「おれと秀治《ひでじ》の対決《たいけつ》なんだから、おれは打《う》てば勝《か》ち、秀治《ひでじ》は三振《しん》を取《と》れば勝《か》ち、――かんたんにやろう。」

と、ガンちゃんは主張《しゅちょう》した。

「そんな野球《やきゅう》があるかよ。おまえに打《う》たれたって、あとの三人《にん》をノックアウトして、一点《てん》も取《と》らせなきゃ、それでいいじゃねえか。」

秀治《ひでじ》も、ずいぶん考《かんが》えてきたらしく、そう主張《しゅちょう》した。ぼくらも、秀治《ひでじ》のいいぶんのほうが正《ただ》しいように思《おも》えた。だけど、ガンちゃんはすぐに反論《はんろん》した。

「一点《てん》も取《と》らせないだって? キャッチャーなしで、どうやって一点《てん》も取《と》らせないんだ? 投《な》げて、球《たま》よりはやく走《はし》るのか?」

秀治《ひでじ》は、くやしそうにガンちゃんをにらんだ。

「おもしろい。一人《ひとり》でどうやって、おんぼろチームに一点《てん》も取《と》らせないのか、見《み》せてもらおうじゃないか!」

ガンちゃんは、めずらしくこうふんしてる。

「いいじゃないか、ガンちゃん。」

と、洋太《ようた》くんがわってはいった。

「キャッチャーくらい、いいじゃないか。」

「そうだよ、それくらいはさ。」

と、ぼくらもいった。

「いいよ。いいけどさ、じゃ、二人《ふたり》でおんぼろチームに一点《てん》も取《と》らせないっていうんだな。二人《ふたり》だな。」

と、ガンちゃんはこだわった。

「まあな。」

と、秀治《ひでじ》もしようがなさそうにうなずいた。

「じゃ、これかすよ。」

と、洋太《ようた》くんは、プロテクターとマスクをケンにわたそうとした。

ケンはびっくりした顔《かお》をして、あとずさった。

「実戦《じっせん》は、だめなんだ。」

と、秀治《ひでじ》が自分《じぶん》のことのようにあわてて、赤《あか》くなった。

「だって、おまえ、さっき、ブラック＝キャットにはいるのなら、ケンもいっしょにって、いったじゃないか。」

「だからよ、応援団《おうえんだん》とか、実況放送《じっきょうほうそう》とか、そういうのはばつぐんだからよ――。」

「ええっ。」と、みんながあきれた。

「いいじゃないか、応援団《おうえんだん》だって、りっぱな役《やく》わりだ。」

と、おっちゃんがいった。

「じゃ、キャッチャーは洋太《ようた》くんだな。」

「うん──。」

と、洋太《ようた》くんは不安《ふあん》そうに秀治《ひでじ》をうかがった。

「やっぱり、さっき、練習《れんしゅう》しときゃよかったじゃないかあ。──まあ、やるけどさ。あんまりたよりにしないでくれよな。」

秀治《ひでじ》はなにかいいたそうに洋太《ようた》くんを見《み》たけど、くちびるがぴくっと動《うご》いただけで、なにもいわなかった。

「それにしても、不利《ふり》な勝負《しょうぶ》だぜ。」

と、ぼくは秀治《ひでじ》にいった。

「おまえがぬかれりゃ、かならずランニングホーマーになるんだからな。」

「打《う》たれるもんか。」

と、秀治《ひでじ》はいった。強《つよ》がっているけど、不安《ふあん》そうだった。

「不利《ふり》だよ、そりゃ、むちゃだよ。」

と、だまってきいてたゴロさんが、身《み》をのりだしてきた。

「発言権《はつげんけん》がないのは知《し》ってるけどね、そりゃ、むちゃですよ。せめて、内野手《ないやしゅ》くらいはっけないとね。」

どうも、と、またひっこんでいった。

「たしかになあ。」

と、おっちゃんがうなった。

「いいよ、一人《ひとり》でやってみせるよ。」

と、秀治《ひでじ》がいった。

「二人《ふたり》で！」

と、ガンちゃんがしつこく訂正《ていせい》した。

「じゃあ、こういうのはどうだ？」

と、おっちゃんが提案《ていあん》した。

「秀治《ひでじ》くんは、一人《ひとり》アウトにすると一点取《てんと》る。つまり、スリーアウトで三点《てん》だ。すなわち、ブラック＝キャットは、スリーアウトにされるまでに、三点以上《てんいじょう》取《と》れば勝《か》ち、以下《いか》なら負《ま》けだ。」

「よし、それでいこう。」

秀治《ひでじ》が自信《じしん》ありげに、にやっとわらった。

（不利《ふり》だ。）

と、ぼくとガンちゃんは、とっさに目《め》くばせした。まだ球《たま》は見《み》てないけど、ぼくとガンちゃんが打《う》てたとしても、単発《たんぱつ》なら、二点《てん》だ。あとは、――絶望的《ぜつぼうてき》だ。

「どうだ？」

と、おっちゃんがぼくらを見《み》た。

（いやなルールを考《かんが》えちゃってえ！）

と、ぼくはおっちゃんをにらんだけど、おっちゃんは知《し》らんぷりだ。

「早《はや》く決《き》めろや。おれも、かあちゃんに店《みせ》たのんで、びくびくしてきてるんだからなあ。」

なんて、いってる。

ぼくらは、すこしはなれたところで、円陣《えんじん》を組《く》んで相談《そうだん》した。

「やりましょうよ。三点以上《てんいじょう》取《と》れないようじゃ、やっぱり、おんぼろチームっていわれてもしようがないですよ。」

と、誠《まこと》はあいかわらず景気《けいき》だけはいい。

「やってみようよ、一人《ひとり》対《たい》八人《にん》だからね。」

と、弓削《ゆげ》くんものんきだ。

「二人《ふたり》対《たい》八人《にん》。」

と、洋太《ようた》くんがガンちゃんの口《くち》まねをして訂正《ていせい》した。ぼくらはわらった。

「だれか一人《ひとり》、塁《るい》にでなきゃ、負《ま》けだぞ。」

と、ガンちゃんがしんけんな声《こえ》でいった。

「よく選《えら》んで、とにかくあわせて——。」

「おうい、まだか。」

と、おっちゃんがよんだ。

「やるか?」

と、ガンちゃんがみんなを見《み》まわした。

みんなが、しんけんな表情《ひょうじょう》でうなずいた。

オーケー!と、ぼくは指《ゆび》をまるめて、おっちゃんに合図《あいず》した。

キャッチャーの洋太《ようた》くんが打《う》つときは、ぼくかガンちゃんかが代《か》わること。キャッチャーは誠実《せいじつ》にやるけど、エラーの責任《せきにん》はないこと。主審《しゅしん》はおっちゃん、一塁塁審《るいるいしん》ロクさん、二塁塁審《るいるいしん》ハーコ。三塁塁審《るいるいしん》は、たよりなさそうだったけど、強《つよ》い希望《きぼう》をいれて、ゴロさんにやらせてやることにした。そのほかの問題《もんだい》がおこったときは、四人《にん》の審判《しんぱん》の決定《けってい》にしたがうこと。——そうして、いよいよ、ぼくらは勝負《しょうぶ》を開始《かいし》した。

秀治《ひでじ》が、マウンドにあがって、投球練習《とうきゅうれんしゅう》をはじめた。

左投《ひだりな》げ、オーバースローの秀治《ひでじ》の球《たま》は、予想以上《よそういじょう》に重《おも》く、はやかった。二、三球続《きゅうつづ》けざまに暴投《ぼうとう》して、見物《けんぶつ》のちびどもはわらったけど、ぼくらは息《いき》をのんで見《み》つめていた。球《たま》がどまん中《なか》にきまりだすと、キャッチャーの洋太《ようた》くんは、まともに捕球《ほきゅう》できずに、ぽろぽろとこぼしたり、後逸《こういつ》したりをくり返《かえ》した。

秀治《ひでじ》は、はらだたしそうに、つばをはいたり、マウンドの土《つち》をけったりしてたけど、なにもいわなかった。

洋太《ようた》くんも、はじめのうちは、

「悪《わる》いな。」

なんて、いってたけど、あまりぽろぽろやるものだから、すぐに、なにもいわなくなって、

必死《ひっし》で捕球《ほきゅう》しようとかまえはじめた。受《う》けそこねた球《たま》が、ドスッとプロテクターにあたったころからだった。落《お》ちたり、曲《ま》がったりする球《たま》じゃない。まっすぐ、うなりをあげて、どまん中《なか》にとびこんでくる。その球《たま》をとれないなんて、と、なさけなくなったのにちがいない。

予想外《よそうがい》に重《おも》くはやい球《たま》を見《み》ながら、ぼくらは作戦《さくせん》を考《かんが》え、打順《だじゅん》を決《き》めた。

まず、三点《てんと》取ること。——そのことだけを考《かんが》えて、一番《ばん》バッターは、ガンちゃんにした。

「おれが、打《う》つ。かならず、打《う》つ。調子《ちょうし》づかしたら、きっと、こわいやつみたいだからな。」

ガンちゃんはもえていた。作戦《さくせん》を考《かんが》えてるあいだも、投《な》げる秀治《ひでじ》から、目《め》をはなさなかった。

「二番《ばん》、ケラぼう。」

「ええ、じょうだんでしょ!」

と、ケラぼうはいった。

「あんな球《たま》、ぼく、死《し》んじゃうよ。」

「どんな球《たま》でもいいから、ふれ。ふって、走《はし》れ。」

足《あし》のはやいケラぼうに、ふりにげをさせることにしたのだ。その作戦《さくせん》にほっとして、

「なんだか、洋太《ようた》くんに悪《わる》いな。」

と、ケラぼうはけらけらわらった。

「ふざけるんじゃない。見《み》てみろ。」

と、ガンちゃんはこわい顔《かお》をして、キャッチャーのほうを、あごでしゃくった。

洋太《ようた》くんは、必死《ひっし》のようすでミットをかまえていた。ぽろぽろこぼしていた球《たま》も、半分《はんぶん》はしっかりと捕球《ほきゅう》するようになっていた。後逸《こういつ》した球《たま》も、すばやく追《お》いかける。あせだくになって、もう、かたで息《いき》をしているのだった。

(本気《ほんき》になってる……。)

ぼくらはどきんとして、しばらくそのすがたをながめていた。

三番《ばん》、弓削《ゆげ》くん。四番《ばん》、ぼく。五番《ばん》、岬《みさき》くん。六番《ばん》、誠《まこと》。七番《ばん》、ニカちゃん。八番《ばん》、洋《よう》太《た》くん。――もういちど、作戦《さくせん》を確認《かくにん》しあって、円陣《えんじん》を組《く》んだ。

(洋太《ようた》くんは、どうしよう――。)

とまよったけど、けんめいに捕球《ほきゅう》してるのを見《み》て、あきらめた。七人《にん》だけで、「ブラック＝

キャット、ファイト!」をやり、トップバッターのガンちゃんが、左《ひだり》バッターボックスに立《た》った。

「しまってこうぜえっ!」

と、洋太《ようた》くんが両手《りょうて》をあげてさけんだ。はじめてきく大声《おおごえ》だった。

ハーコが、塁審《るいしん》のくせに、パチパチと拍手《はくしゅ》して、つられたように、見物人《けんぶつにん》たちがいっせいに拍手《はくしゅ》した。

秀治《ひでじ》が、大《おお》きくふりかぶって、第一《だい》球《きゅう》めを投《な》げおろした。とんでもないくそボールで、直接《ちょくせつ》バックネットにぶつかった。

「ドンマイ、ドンマイ、らくにいこうぜ!」

と、洋太《ようた》くんはまた大声《おおごえ》をあげた。

二球《きゅう》めはショートバウンドのボール。洋太《ようた》くんは、それを後逸《こういつ》しないで、体《からだ》でとめた。

「バッター、打《う》つ気《き》ないよ。どまん中《なか》いこう!」

ボールを返《かえ》しながら、そんなことをいった。

三球《きゅう》めは、ほんとに、どまん中《なか》にきた。

「ストライク！」

おっちゃんが高々《たかだか》とうでをつきあげた。

ガンちゃんは、くやしそうにバッターボックスをはずして、二、三度《ど》、すぶりをした。

四球《きゅう》めは、わずかにかするファウル。

五球《きゅう》めは、内角《ないかく》いっぱいのくさい球《たま》。ガンちゃんはのけぞるようにしてよけ、ぱっと審《しん》判《ぱん》の顔《かお》を見《み》た。

「ボール！」

と、おっちゃんはいって、すこし高《たか》かったと手《て》でしめした。

ぼくらはほうっと息《いき》をはいた。

秀治《ひでじ》は運動《うんどう》ぐつでガッガッと、マウンドの土《つち》をけり、みごとなフォームで六球《きゅう》めを投《な》げた。

ガンちゃんははやい球《たま》におされてふりおくれたけど、なんとかはじき返《かえ》した。三塁線《るいせん》ぎりぎりのつうれつなライナーになった。

ゴロさんがフェアの合図《あいず》をし、ぼくらは歓声《かんせい》をあげた。ガンちゃんは、うつむきかげんに、もくもくと塁《るい》をまわった。

秀治《ひでじ》は動《うご》かない。かけよった洋太《ようた》くんがなにかいってるのを、きいてるのかどうか、塁《るい》をまわるガンちゃんを、ただじっとにらみつけていた。

ガンちゃんが、おもしろくもなさそうな顔《かお》でホームベースをふんだとき、土手《どて》のふもとまで、ライナーをひろいにいったゴロさんが、

「いくぞうっ!」

と、マウンドの二人《ふたり》に向《む》かって、球《たま》を投《な》げ返《かえ》してよこした。

(よせばいいのに、はじかくのに。)

と思《おも》っていたら、秀治《ひでじ》の球《たま》よりもはやいようなやつがビュッと返《かえ》ってきた。洋太《ようた》くんが捕《ほ》球《きゅう》して、びっくりしてる。秀治《ひでじ》もまじまじとゴロさんを見《み》つめてる。

「もう打《う》てるやつはいないよ。ほら、もたもたしてないで、びんびん投《な》げろよ。」

と、ゴロさんは三塁《るい》にもどってきて、秀治《ひでじ》にさけんだ。

「三点《てん》までは、かくごのうえでしょ。」

と、ハーコもげきれいした。

とんでもない塁審《るいしん》たちだ。

秀治《ひでじ》も気《き》を取《と》り直《なお》して、二番《ばん》バッターのケラぼうに立《た》ち向《む》かった。

ケラぼうは、剛速球《ごうそっきゅう》にすっかりふるえあがったらしく、三球《きゅう》三振《しん》。三球《きゅう》めに、もうしわけのようにバットをふったけど、洋太《ようた》くんはエラーしなかった。マスクの中《なか》から、ぼくらのほうを見《み》て、にやっとわらい、

「どんどん勝負《しょうぶ》だ。」

と、秀治《ひでじ》をはげました。

「あの球《たま》じゃ、あてるだけでせいいっぱいだな。」

ガンちゃんの意見《いけん》で、ともかくこつこつあてていく作戦《さくせん》にきりかえた。

「どまん中《なか》にくるからな。くさいのはすてて、おちついてあてていくんだ。」

それが成功《せいこう》した。

三番《ばん》の弓削《ゆげ》くんが初球《しょきゅう》をコツンとあてただけなのに、ぽうんとサードにまでとび、秀治《ひでじ》はけんめいに追《お》ったけどとれず、内野手《ないやしゅ》がいないから、弓削《ゆげ》くんはゆうゆうと二塁《るい》まですすんだ。

ぼくもワンツーから一塁線《るいせん》にころがして、ランナーは一、三塁《るい》となった。たしかに球《たま》ははやいのだけど、あまりにまともで、どまん中《なか》にばかりくるから、なれるとあてることだけはできるのだ。

五番《ばん》は左《ひだり》の岬《みさき》くん。最初《さいしょ》っからバントのかまえだ。

一球《きゅう》め、ボール。

ぼくはゆうゆうと二塁《るい》に進《すす》んだ。

ハーコはつんとしてる。

「なんだよ?」

といったら、

「よくも、こんな冷酷《れいこく》な勝負《しょうぶ》ができるわね。」

とにらまれた。

なにいってやがる、と思《おも》ったけど、ぼくは相手《あいて》にならなかった。

(五分《ぶ》でたたかってるんだ。女《おんな》になんかわかるか。)

そんな気持《きも》ちもあった。

このチャンスをにがしたら、もう、だめだ。なんとしても、負《ま》けられない。そんなやくそくしたわけじゃないのに、勝《か》って、どうしても秀治《ひでじ》をブラック＝キャットのピッチャーにいれるんだ、と、そんなことを思《おも》っていた。

「リー、リー、リー。」

と、三塁《るい》の弓削《ゆげ》くんはだいたんに十メートル近《ちか》くもリードして、秀治《ひでじ》をゆさぶっている。

岬《みさき》くんもかぶさるようにして、コントロールをくるわせている。続《つづ》けざまに、なんなくバントされたせいか、秀治《ひでじ》のコントロールがみだれはじめた。

岬《みさき》くんは、ツースリーからよく選《えら》んで一塁《るい》に歩《ある》いた。

一死満塁《しまんるい》。

キャッチャーの洋太《ようた》くんが、タイムを要求《ようきゅう》してマウンドにかけよった。

ぼくらも集《あつ》まって作戦《さくせん》を練《ね》った。

六番《ばん》が誠《まこと》。七番《ばん》がニカちゃん。どちらか一人《ひとり》でも、生《い》きてもらわなければならない。

しかし、絶望的《ぜつぼうてき》だ。

「ばかにしないでくださいよ。ぼくだって、やるべきときには、やるんですよ。」

なんて、誠《まこと》はいうけど、もちろん、あてにはならない。

「洋太《ようた》くんには悪《わる》いけど、ホームスチールしかないな。」

と、ぼくはいった。

「それしか、ないな。」

と、ガンちゃんもいった。

チャンスは、ツーエンドツーのときにきた。りきんだ秀治《ひでじ》の球《たま》がすっぽぬけた。そのあいだに、弓削《ゆげ》くんがすべりこんで二点《てん》めをあげた。

とれなかったことをわびるように、洋太《ようた》くんがマウンドにいこうとしたら、秀治《ひでじ》は、

「いいんだ。」というふうに、手《て》でとめた。

そして、はじめて、セット＝ポジションをとり、スピードをおさえて、投《な》げた。

待《ま》ちかまえていたように、誠《まこと》が打《う》った。パカッと音《おと》がしたけど、へいぼんなキャッチャーフライになってしまった。

洋太《ようた》くんは、マスクを投《な》げすてて、よろよろしながらも、がっちりとつかんだ。

「あと一人《ひとり》！」

つかんだボールを、力《ちから》をこめて秀治《ひでじ》に投《な》げ返《かえ》した。

（ちえっ、あいつ、すっかりキャッチャーになっちゃったな。）

洋太《ようた》くんがすこしばかりにくらしくなった。

ぼくはタイムを要求《ようきゅう》して、ガンちゃんとニカちゃんをよんだ。

名案《めいあん》なぞ、なかった。ピンチヒッターさえいないのだ。

ガンちゃんと二人《ふたり》で、ただ、ニカちゃんを見《み》つめて、うなった。

「だいじょぶだよ。ぼくと誠《まこと》くんとさ、バッティングセンターで、人知《ひとし》れず練習《れんしゅう》してるから。」

ニカちゃんは、けろっとしてる。

二人《ふたり》がそんな練習《れんしゅう》をしてたのは知《し》らなかったけど、そういえば、スピードを落《お》とした球《たま》とはいえ、誠《まこと》はよく打《う》ち返《かえ》したと思《おも》った。

「たのむぞ。」

運《うん》を天《てん》にまかせた。

秀治《ひでじ》は、キャッチャーの後逸《こういつ》をおそれたのか、ニカちゃんに対《たい》しても、スピードをおさえて投《な》げた。

ニカちゃんはきょくたんに短《みじか》くバットを持《も》ち、背《せ》をまるめてかまえている。

秀治《ひでじ》は投《な》げにくそうだった。たちまち、ワンスリーになった。

ニカちゃんは、四球《きゅう》めを待《ま》った。すとんとどまん中《なか》にはいった。ゆるい球《たま》だった。

「いやあ、打《う》てばよかったねえ。」

と、ニカちゃんは誠《まこと》にわらいかけて頭《あたま》をかいた。見物人《けんぶつにん》たちがいっせいにわらった。

(もう、だめだ——!)

ぼくは、すわりこんでしまいたくなった。

すごい声援《せいえん》の中《なか》で、秀治《ひでじ》はワインドアップで投《な》げた。剛速球《ごうそっきゅう》だった。

と思《おも》いながら、ぼくは洋太《ようた》くんのエラーだけをたよりに走《はし》った。

(だめだ、三振《しん》だ!)

コツン。

と、音《おと》がした。なんと、ニカちゃんがスリーバントを成功《せいこう》させたのだ。

球《たま》はホームベースから一メートルとははなれていないあたりに落《お》ちて、シュルルと、土《つち》けむりをあげている。洋太《ようた》くんがそれを素手《すで》でつかんで、頭《あたま》からつっこんだぼくにタッチした。

「セーフ！」

と、おっちゃんがさけんだ。

「秀治《ひでじ》！」

と、洋太《ようた》くんはすかさずファーストをしめして、秀治《ひでじ》にどなった。

足《あし》のおそいニカちゃんは、けんめいに走《はし》っているのだけど、まだ塁《るい》のなかばだった。秀《ひで》治《じ》がカバーにはいれば、じゅうぶんにまにあうはずだった。

だけど、秀治《ひでじ》は、必死《ひっし》に走《はし》るニカちゃんを見《み》つめて、マウンドにつっ立《た》っていた。

「なにやってんだ、秀治《ひでじ》！」

と、洋太《ようた》くんはどなった。

「——もう、いいよ。」

と、秀治《ひでじ》はつかれきったように、つぶやいた。

ニカちゃんが、ようやく一塁《るい》ベースをふんで、とびあがってよろこんでるのを見《み》てから、秀治《ひでじ》は、のろのろとマウンドをおりた。

「もう、いいよ。」

くってかかる洋太《ようた》くんに、秀治《ひでじ》は低《ひく》くくり返《かえ》した。

「おまえらには、まいったよ。」

ひたいのあせをぬぐった。

「コンクリート相手《あいて》のほうが、よっぽど気楽《きらく》だぜ。」

土《つち》ぼこりでまっ黒《くろ》のぼくを見《み》て、秀治《ひでじ》はかすかに目《め》でわらった。

12 初戦無残《しょせんむざん》！

秀治《ひでじ》は、その場《ば》で、ブラック＝キャットのメンバーになった。

気《き》にはしているようだったけど、ケンのことは、いいださなかった。

「ほんとに応援団《おうえんだん》がすきなら、おれといっしょにやろうか。」

と、ゴロさんがケンにいった。

ケンはてれくさそうに、へへっとわらって、

「それよりさ、こいつらのコーチしてやったら。」

といった。

「おまえ、見《み》る目《め》あるねえ。」

と、ゴロさんはおおげさにせきばらいして、

「どうだ？　コーチしてやろうか？　ただにしとくよ。」

ぼくらを見《み》まわして、にやにやした。

さっきの遠投《えんとう》にはどぎもをぬかれたけど、ほんとに実力《じつりょく》があるのかどうかは、わからなかった。実力《じつりょく》もないのに、あれこれ口《くち》だししたがるおとなはうじゃうじゃいる。ゴロさんがそんなやつらと同《おな》じだとは思《おも》わないけど、野球《やきゅう》のセンスは、そのようぼうから、どうもまだうたがわしい。

強力《きょうりょく》なピッチャーもはいったことだし、もうすこしようすをみたいと、ぼくは思《おも》った。

「そのうち、たのむよ。」

といったら、

「まいった、まいった。」

と、ゴロさんはわらって、

「おれの実力《じつりょく》を見《み》ぬいてくれたのは、おまえだけだよ。たこ松《まつ》の焼《や》きそばおごるよ。こい

よ。」

と、強引《ごういん》にケンをさそって、待《ま》ってたハーコと三人《にん》でもどっていった。

ハーコはなにかいいたそうなようすだったけど、ぼくは知《し》らんぷりしててやった。

見物人《けんぶつにん》のいなくなった川原《かわら》で、ぼくらはそのあと二時間《じかん》ほど練習《れんしゅう》をした。ずいぶんと気《き》合《あ》いのはいった練習《れんしゅう》になった。

夜《よる》——。

ぼくは、くずかごにすてたままだった〈キャプテン心得帳《こころえちょう》〉の一ページめをひろいだして、ていねいにしわをのばした。やぶれたところは、セロハンテープではった。あんまりきたならしいから、もういちど書《か》き直《なお》そうかとも思《おも》ったけど、やめた。

一、キャプテンは、ぶじょくされたら、あとにはひかないこと。たたかうこと。

一、キャプテンは、メンバーをしんらいすること。ほんとに、野球《やきゅう》は全員《ぜんいん》でやるものなのだ！

よれよれの紙《かみ》に、新《あたら》しく書《か》き加《くわ》えて、そのまま、つくえの前《まえ》のかべに画《が》びょうではった。

（やめちゃわないで、よかった。）

BLACK CAT

心得帳《こころえちょう》をながめて、そう思《おも》った。

あしたの朝《あさ》からは、ルームランナーじゃなく、本物《ほんもの》のマラソンをしようと思《おも》った。

(誠《まこと》やニカちゃんでさえ、バッティングセンターで、やってたんだもんな。)

そのことを、ニカちゃんがばらしたといって、〈勝負《しょうぶ》〉のあとでもめてたのを思《おも》いだしながら、ぼくはキリキリと古《ふる》ぼけた目《め》ざまし時計《とけい》のねじをまいた。ベルのボタンもがっちりおした。

下《した》の店《みせ》からは、めったにきたことのない秀治《ひでじ》のお父《とう》さんの声《こえ》がきこえていた。

「おれあ、うれしい。」

と酔《よ》って、なんべんも同《おな》じことをくり返《かえ》していた。

ずっと口《くち》もきかなかった秀治《ひでじ》が、あせとどろにまみれて帰《かえ》ってきて、ユニホームとスパイクを買《か》ってくれ、と頭《あたま》をさげたというのだ。

「借金《しゃっきん》でたいへんなのは知《し》ってるけど、と、こうきたもんだ。なにいってやがる。がきのくせに、なあにいってやがるってんだ!」

とぎれとぎれだけど、ロクさんやおっちゃんやマーちゃんの声《こえ》もきこえる。うなずいたり、わらったり、わめいたり、なきごといったり、そんな、いつものそうぞうしい店《みせ》の音《おと》をききながら、ぼくはねがえりもうたずに、すぐにねむった。

秀治《ひでじ》は練習《れんしゅう》に熱心《ねっしん》だった。どまん中《なか》にしか投《な》げないくせは、なかなか直《なお》らず、ちらしたり、コーナーをついたりするコントロールはまだまだだったけど、重《おも》く、はやい球《たま》は、洋太《ようた》くんの捕球技術《ほきゅうぎじゅつ》の急速《きゅうそく》な上達《じょうたつ》もあって、ますますさえはじめた。バッティングも、打球《だきゅう》のしょりも、みんなが舌《した》をまくほど、目《め》に見《み》えて上達《じょうたつ》していった。

秀治《ひでじ》の剛速球《ごうそっきゅう》とその上達《じょうたつ》ぶりにあおられて、ブラック＝キャットのメンバーも練習《れんしゅう》に熱《ねっ》がはいり、チームは活気《かっき》づきはじめていた。

問題《もんだい》は、ケンだった。

〈勝負《しょうぶ》〉の日以来《ひいらい》、ゴロさんのところに、よく出入《でい》りするようになっていたけど、麦塾《むぎじゅく》にはいったわけでもなく、サイクリング車《しゃ》でふらあっとやってきて、あれこれとうるさく、ぼくらの練習《れんしゅう》を批評《ひひょう》していた。

いってることは、たしかにあたってるんだけど、いいかたが、ばかにしてるようにきこえて、

（自分《じぶん》じゃ、球《たま》ひとつとれないくせに。）

と、ぼくらはいいかげんにきき流《なが》していた。

そんなぼくらの冷淡《れいたん》なたいどが、ケンはもちろん、秀治《ひでじ》も、おもしろくなかったのだと思《おも》う。

五、六日《にち》めごろから、ケンはもう批評《ひひょう》はやめて、サイクリング車《しゃ》で、グラウンドのまわりをぐるぐるまわり、だれかがへまをするたびに、

「やめちゃえ！　やめちゃえ！」

と、しつこくやじるようになった。

すると、秀治《ひでじ》も調子《ちょうし》をあわせて、

「まったく、ひでえぼろチームだな。」

などと、大声《おおごえ》で悪態《あくたい》をつき、きゅうに、いいかげんな練習《れんしゅう》になったりした。

「まじめにやれ！」

と、もちろんぼくはそのたびにどなったけど、同《おな》じことがなんどもくり返《かえ》され、しだいに、みんなの不満《ふまん》が高《たか》まって、チームワークにもがたがきはじめた。

「いっそ、やめさせたほうがいいんじゃないのか。」

と、ガンちゃんまでがいうようになった。

「チームワークががっちりしてりゃ、力《ちから》を倍《ばい》にもできるけどな。強力《きょうりょく》なピッチャーがいたって、いまのままじゃ、力《ちから》は半分《はんぶん》しかだせないよ。」

対抗試合《たいこうじあい》の日《ひ》までは、あと二十日《はつか》ほどだった。

ぼくはゴロさんに相談《そうだん》した。

「しらないよ。おれは、コーチじゃないもんね。」

と、ゴロさんは半分本気《はんぶんほんき》でむくれてたけど、

「いっぺん、試合《しあい》やってみるんだな。」

といって、どこかにすぐに電話《でんわ》してくれた。

〈ひまわり少年団《しょうねんだん》〉というチームだった。その少年団《しょうねんだん》の指導員《しどういん》とかいう人《ひと》と親《した》しいらしかった。

「どうする？ むこうはオーケーだとさ。」

「きいたことないチームだな。」

「そうさ、できてからまだ三か月《げつ》だもの。六年生《ねんせい》の女《おんな》の子《こ》がピッチャーで、五年《ねん》と四年《ねん》が多《おお》いんだ。まあ、ブラック＝キャットとはいい勝負《しょうぶ》だと思《おも》うよ。」

にやにやして、ぼくをちょうはつしてる。

（よし、こてんぱんにたたいて、がっちりチームワークをかためよう。）

「いいよ。相手《あいて》になってやるよ。」

と、ぼくはいった。

みんなにそのことを話《はな》すと、だれもがふるいたった。スネイクスをコールドゲームにする練習《れんしゅう》だ、などといきまいた。

そして、試合《しあい》はよく日《じつ》、川原《かわら》でおこなわれた。

こてんぱんにやられたのは、ぼくらのほうだった。

三回《かい》で三対《たい》十二。試合放棄《しあいほうき》。——ひどいもんだ！

〈ひまわり〉のてっていしたバント戦法《せんぽう》と、十二、三人《にん》もの応援団《おうえんだん》のやじにかきまわされて、秀治《ひでじ》はフォアボールやデッドボールを続出《ぞくしゅつ》させ、バックの無数《むすう》のエラーにうんざりして、

1 2 3 4 5
BC 2 1 0
H 5 3 4

「くそおもしろくもねえ!」

と、マウンドにグローブをたたきつけてしまったのだ。

全員《ぜんいん》がマウンドに集《あつ》まったけど、みんなの口《くち》からとびだしたのは、秀治《ひでじ》へのひなんばかりだった。

「おまえは、ブラック=キャットのピッチャーなんだぜ。」

「かってなまねばかりしてさ。」

日《ひ》ごろの不満《ふまん》が、一度《ど》にばくはつしてしまった。

「なにがブラック=キャットだ。こんなぼろチーム、やめてやらあ!」

と、秀治《ひでじ》はわめいた。

「やめてやるけどよ、おまえらは、どうだったんだよ! ケンの忠告《ちゅうこく》をいっぺんでもまじめにきいたかよ! きいて、そのぼろ守備《しゅび》をまじめに直《なお》そうとしたのかよ!」

つかみあいになる寸前《すんぜん》の、ひどいいいあいになってしまった。たがいに責任《せきにん》をなすりつけあい、口《くち》ぎたなくののしりあい、つかれはてた。

「やめてよ、やめてよ。」

と、ニカちゃんがなきだした。

「ぼく、もっと、はやく走《はし》る練習《れんしゅう》するよ。」

ぼくら、ちらちらとニカちゃんを見《み》て、たがいに顔《かお》をそむけるようにして、がっくり、グラウンドにへたりこんでしまった。

「もめてるとこ、悪《わる》いけどさ。」

と、〈ひまわり〉の女《おんな》キャプテンが、ぼくのかたをちょんちょんとつついた。同《おな》じ学校《がっこう》で、生徒《せいと》会《かい》の会長《かいちょう》をやってる六年生《ねんせい》だ。

「試合《しあい》放棄《ほうき》ってことで、いいわね？——気《き》のどくだけど。」

「かってにしろ！」

と、ぼくはふりかえりもしなかった。

女《おんな》キャプテンがVサイン《ブイ》を送《おく》り、わっと歓声《かんせい》があがった。

どらねこ　ぼろねこ　つぶれねこ
万年《まんねん》びりけつ　ねこのけつ
スネイクスのはやらせたはやしことばは、すっかり有名《ゆうめい》になったらしく、さんざんにやじって、〈ひまわり〉勝利《しょうり》の歌《うた》なんてのをうたいながら、やつらは少年団旗《しょうねんだんき》をおし立《た》てて、意気《いき》ようようと帰《かえ》っていった。

「くそおもしろくもねえ!」

と、秀治《ひでじ》が立《た》ちあがろうとした。

「待《ま》てよ。」

と、ぼくはいった。

「おまえのこと、みんなが、たよりにしすぎてたんだ、きっと。」

「へたなもんだからな、だれか、たよりにしちゃうくせがついてるんだな。」

と、洋太《ようた》くんもいった。

「そうかな、そうとばかりはいえないんじゃないですか。」

と、誠《まこと》がえんりょがちにだけどいって、またいいあいになりそうだった。

「とにかくさ、やめるのだけはやめろよ。」

と、ぼくはいった。

「そうだよ、やめちゃえばいいってもんじゃないよ。」

と、みんなも口々《くちぐち》にいった。

「賛成《さんせい》。」

と、後《うし》ろで声《こえ》がした。

「ここでふんばらなきゃ、くせになるぞ。」

アンパイアをしてくれたゴロさんだった。

となりに、ケンがにやにやして立《た》っている。

「それほどひどい試合《しあい》じゃなかったさ、な？」

ゴロさんは、親《した》しげにケンにうなずきかけた。

「敗因《はいいん》は、連係《れんけい》プレーのまずさってことだけでしょうね。」

ケンは解説者《かいせつしゃ》のものまねをしてわらった。

（やる気《き》になった秀治《ひでじ》の足《あし》を、引《ひ》っぱりやがったくせに！）

ぼくはむかっとして、なぐってやろうと、とびかかった。

ゴロさんがぱっとぼくの前《まえ》に立《た》ちふさがった。

「ケンだってな、ケンなりのやりかたで、ブラック＝キャットの応援《おうえん》をしてたんだ。おまえらに、それが通《つう》じなかっただけなんだ。」

ゴロさんはぼくをすわらせると、ケンのズボンのしりポケットから、気《き》やすくひょいとなにかをぬきとった。

「なんだか、わかるだろ?」

ぼくらの目《め》の前《まえ》に、ひらひらさせた。

白《しろ》い手《て》ぶくろだった。

「やめろよ。」

と、ケンがてれくさそうにひったくった。

「応援団《おうえんだん》の手《て》ぶくろだ。」

と、ゴロさんはいった。

「やめろ、やめろなんて、やじって歩《ある》いたりしたらしいけどな、おまえらに強《つよ》くなってもらいたい一心《しん》からなのさ。応援《おうえん》にだって、いろんなやりかたがあるのが、おまえらには通《つう》じなかったんだ。——こんどはな、ケンとハーコとおれとで、わかりやすい応援《おうえん》をしてやるよ。この手《て》ぶくろはめてな。」

ぼくらはちらちらとケンを見《み》て、ざわついた。

(そうだったのか……。)

秀治《ひでじ》までが、べつの人《ひと》を見《み》るような目《め》で、ケンを見《み》ている。

ケンは、しきりにもじもじしてたけど、ゴロさんとなにか打《う》ちあわせてあったらしく、

「ほら。」

と、ゴロさんにうながされて、思《おも》いきったように、

「おまえさ、あんまりおれに気《き》いつかうなよな。」

と、秀治《ひでじ》にいった。

「おれあ、おれで、すきにやってんだしさ。ヒデさんは、もう、ブラック＝キャットのエースなんだからさあ。」

そして、白手《しろて》ぶくろをぴしっとはめると、ひどくくそまじめなようすで、

「フレー、フレー、ひいでえじっ!」

と、うでをふった。こっけいなかっこうだったけど、ゴロさんも立《た》って、いっしょにやった。練習《れんしゅう》してあったらしく、きれいにうでがそろっていた。

「フレー、フレー、ブラック＝キャット！」

あっけにとられてるぼくらにも、二人《ふたり》は、やっぱりくそまじめに、うでをふった。

終《お》わったら、「はい、拍手《はくしゅ》！」と、ゴロさんはぼくらに拍手《はくしゅ》させた。ぼくらはてれて、ぱらぱらとしかやらなかった。誠《まこと》なんか、そっぽむいてた。

「まあ、いいさ。そのうち、野球《やきゅう》ってのは、九人《にん》だけでやるもんじゃないってこと、すぐにわかるさ。」

ちょっと、バット持《も》ってきてくれや、と、ゴロさんはケンを走《はし》らせた。

（あ、なにされるんだ？）

と、きんちょうしてるぼくらの頭上《ずじょう》で、ゴロさんはブンブンとするどいすぶりを見《み》せた。

「ブラック＝キャットにとって、もっとも重要《じゅうよう》できんきゅうに必要《ひつよう》なのは、コーチである。ゆうしゅうなコーチである。」

ぼくらを見《み》まわして、演説口調《えんぜつくちょう》になった。

「つまり、おれだ。」

ぼくらは、わらった。バットでなぐられなくてよかったという気持《きも》ちと、ほんとにゆうしゅうなコーチかもしれない、という気持《きも》ちからだった。

「そのかわりね、スネイクスをやっつけるまでだよ。」

と、ゴロさんは、なんでもないことのようにいった。

「あとは、知《し》らないよ。おれだってね、それほどひまじゃないんだから。だめな巨人《きょじん》のコーチにもいかなきゃいけないんだから。」

気《き》どって、ぷかあと、たばこをふかした。

ふてくされてた秀治《ひでじ》が、ようやく、ぐふっとわらった。

13　あたりまえのこと

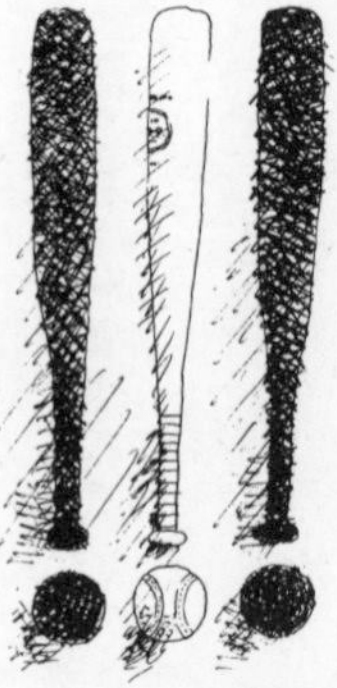

「五日間《いつかかん》だけ、おれのいうとおりにやってくれ。」
と、はじめに、ゴロさんはいった。
どんなにひどい特訓《とっくん》でしごかれるのかと、きんちょうしたけど、特別《とくべつ》なことじゃなく、キャッチボールとすぶりを、連日《れんじつ》やらされただけだった。午前《ごぜん》と午後《ごご》二時間《じかん》ずつ、一日《にち》四時間《じかん》の練習《れんしゅう》のほとんどが、そのあたりまえの基礎練習《きそれんしゅう》にあてられたのだった。
「おれのいないところでは、練習《れんしゅう》するな。とくに、すぶりは、ひとりでやるな。練習時間《れんしゅうじかん》に集中《しゅうちゅう》してやるんだ、いいな？　それでも力《ちから》があまってうずうずしたら、麦塾《むぎじゅく》にきて勉《べん》強《きょう》でもしろ。おれももうかる。」

そんなことをいって、一人一人《ひとりひとり》の投打《とうだ》をよく観察《かんさつ》し、それぞれのくせや持《も》ち味《あじ》をいかしたフォームを、一人一人《ひとりひとり》にてってい的《てき》にたたきこんだ。その人《ひと》にあったバットの選択《せんたく》からはじまって、スタンスやスイングのこまごましたことまで、なっとくのいくようにコーチしてくれた。

それでも、ぼくら、あきっぽいから、三日《みっか》めの午後《ごご》には、たいせつな練習《れんしゅう》なんだとわかっていても、その単調《たんちょう》な基礎《きそ》練習《れんしゅう》のくり返《かえ》しに、うんざりしはじめていた。フォームにかんしては、もうあまりゴロさんに注意《ちゅうい》されなくなって、自分《じぶん》なりに自信《じしん》もついてきていたからだった。

「しんぼうがたりないねえ。」

と、ゴロさんはにやにやして、まるで予定《よてい》どおりだとでもいうように、よく日《じつ》から練習方《れんしゅうほう》法《ほう》を変《か》えた。

キャッチボールは、三人《にん》一組《ひとくみ》になって、すばやく受《う》け、すばやくふりかえって投《な》げる。すぶりは全員《ぜんいん》で百本《ぽん》をやり、ゴロさんの投《な》げる球《たま》を、二十本《ぽん》ずつトスバッティングする。

——それを、二日間《ふつかかん》続《つづ》けた。

「ああ、みんな、よくしんぼうしたな。」

と、五日《いつか》めが終《お》わったときに、ゴロさんはいった。

「そろそろ、スネイクスをひねってやろうか。」

ぷかあと、たばこをふかした。

あははと、ぼくらはわらった。

じょうだんをいってるのだと思《おも》った。

「あさって、やるよ。柳小《やなぎしょう》の校庭《こうてい》で、朝《あさ》九時《じ》から、五回戦《かいせん》。」

「ええ、ほんとう?」

と、ぼくらは大《おお》さわぎになった。

「だって、ゴロやフライとる練習《れんしゅう》もしてないし、——どうするんですか。」

と、誠《まこと》はすっかりあわててる。ぼくらも口々《くちぐち》に、同《おな》じようなことをいった。

「きもっ玉《たま》、ちっちゃいねえ。けさもうしこんだばかりだから、取《と》りやめにしようか?

とてもかないません、すみません、ゆるしてって。」

ゴロさんはにやにやしてる。

　ぼくらは、だまりこんだ。

「ゴロさん、自信《じしん》あるの？」

と、ぼくがきいた。

「秀治《ひでじ》、どうだ？」

と、ゴロさんはいった。

「わからないよ。——だけど、このあいだみたいなまねは、しないよ。」

絶対《ぜったい》だ、と秀治《ひでじ》はうつむいたままで、いった。〈ひまわり〉との対戦《たいせん》で、マウンドをおりてしまったことを、いっているのだった。

　ぼくら、なんだかどきんとしてしまって、ちょっとしいんとなった。

「これだから、勝《か》てるんだよな。」

ゴロさんは、続《つづ》けざまに、二本《ほん》めのたばこに火《ひ》をつけた。

「はったりもいくぶんあるけどさ、二、三日《にち》スネイクスをじっくり研究《けんきゅう》させてもらったからね。いまのとこ、五分《ぶ》五分《ぶ》。あとはみんなの気迫《きはく》だよ。」

「だけどさ、ゴロやフライの練習《れんしゅう》がまだ――。」

と、誠《まこと》はなおこだわっている。

「うん、あした一日《にち》、その練習《れんしゅう》はするけどね、だてに五日間《いっかかん》も、せっせこせっせこ、キャッチボールしてきたんじゃないんだから。」

と、ゴロさんは大《おお》きな手《て》でボールをわしづかみにして、ぼくらの目《め》の前《まえ》につきだした。

「見《み》ろよ。五日前《いっかまえ》とはちがうだろ？　ボールがかわいらしく見《み》えるだろ？　ゴロだってフライだって、このかわいらしいやつを、キャッチボールの要領《ようりょう》でつかまえてやればいいのさ。どうってこたないんだよ、な？」

ゴロさんは誠《まこと》のぼうしを取《と》って、頭《あたま》をなでなでしてやった。ぼくらはどっとわらってしまった。しようがなさそうに、誠《まこと》もわらってる。

（そういえば、そうだなあ。）

と、ぼくらも、しだいにらくな気分《きぶん》になってきた。

「だいたいね、かれらは、秀治《ひでじ》の球《たま》、打《う》てないよ。ホームラン打《う》とうとばかりしてるもの。せいぜい、内野《ないや》フライだね。内角《ないかく》に決《き》まりだしたからね、重《おも》い球《たま》がさ。あとはキャッ

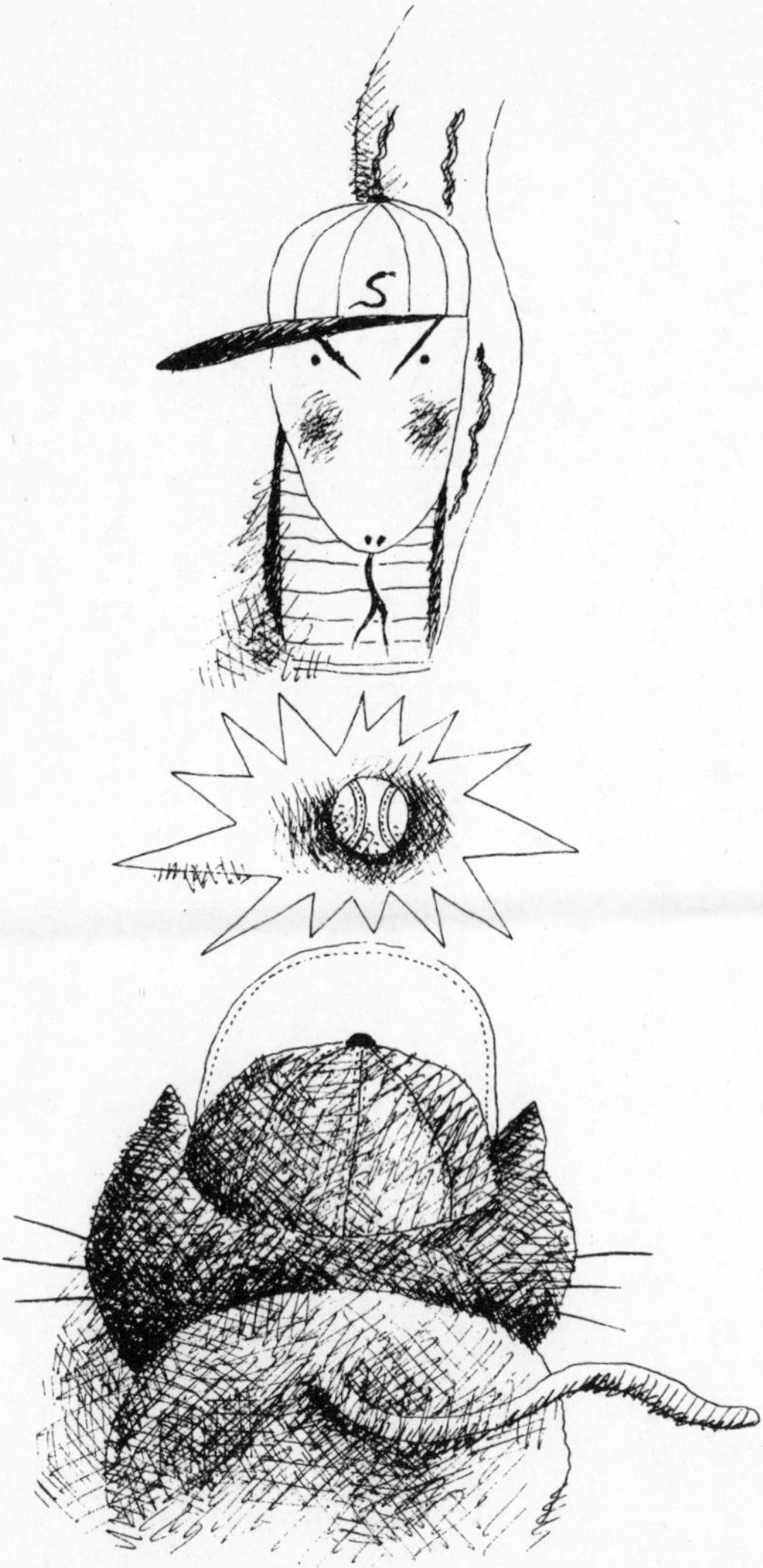

チャーフライとファウル。そんなていどだね。たいてい、みんなひまになるだろうから、ジャストミートのかんをにぶらせないように、バッティング練習《れんしゅう》でもしてなさいよ、――五《いつ》日《か》間《かん》ごくろうさん、おれはふろにいくよ。」

といって、ゴロさんはさっさと帰《かえ》ってしまった。

「勝《か》てるかもしれない。」

と、しばらくして岬《みさき》くんがいった。

「うん、勝《か》てるかもな。――あにきにたのんで、おれ、こっそり、ゴロやフライの練習《れんしゅう》してたんだけど、おまえ、かっこだけじゃなくなったなって、ほめられたもんな。」

「え？　あ、ずるい。じゃ、ぼくもいっちゃおう。」

と、誠《まこと》がやっぱりニカちゃんと二人《ふたり》でバッティングセンターに通《かよ》い、ゴロさんになおされたフォームで打《う》ったらよくとんだ、というようなことを話《はな》した。秀治《ひでじ》と洋太《ようた》くんが、ケンをバッターボックスに立《た》たせて、よく投球練習《とうきゅうれんしゅう》してたのは知《し》ってたけど、同《おな》じアパートの弓削《ゆげ》くんとケラぼうまでが、フライやショートバウンドのとりかたをひそかに練習《れんしゅう》してたときかされて、ぼくとガンちゃんは、

（どうなってんの？）

と、顔《かお》を見《み》あわせ、

（ほんとに勝《か》てるかもしれないな。）

と、目《め》でうなずきあった。


その日《ひ》は、五時《じ》から麦塾《むぎじゅく》だった。

ゴロさんは、ほんとにおふろにいってきたらしく、ガーガーやかましくドライヤーを使《つか》いながら、

「おれにきこえるように、でっかい声《こえ》で読《よ》めや。」

と、国語《こくご》の教科書《きょうかしょ》を音読《おんどく》させた。いつも、そんなふうなのだ。

「きこえないな。」

なんていいながら、いいかげんにごまかすと、

「ちがうだろ。」

と、すぐに訂正《ていせい》する。

ぼくとハーコと、四日前《よっかまえ》から新《あたら》しくはいった岬《みさき》くんの三人《にん》で、そうして三十分《ぷん》ほども勉《べん》強《きょう》していたときだ。

あわただしく階段《かいだん》をかけあがってくる足音《あしおと》がして、

「ヒデさんが、川原《かわら》で、中学生《ちゅうがくせい》に！」

と、ケンが血相《けっそう》を変《か》えて、とびこんできた。

「なに！」

と、いうが早《はや》いか、ゴロさんはケンのサイクリング車《しゃ》をうばって、川原《かわら》にすっとんでいった。

「おっちゃんに知《し》らせてくれ！」

と、ハーコにどなって、ぼくらも川原《かわら》に走《はし》った。

川原《かわら》に、中学生《ちゅうがくせい》のすがたは、もうなかった。

投球練習《とうきゅうれんしゅう》をしていたところをやられたらしく、いっしょに洋太《ようた》くんがいた。鼻血《はなぢ》が、よごれたユニホームにとびちってる。

秀治《ひでじ》は、ゴロさんと洋太《ようた》くんの前《まえ》で、くちびるをかんで、じっとうなだれていた。ひどくなぐられたらしく、左顔面《ひだりがんめん》がふくれあがっていた。

三人《にん》は、ぼくらがかけつけても、ふりむきもしなかった。

(だまってろ!)

と、ゴロさんが、ぼくらに目《め》で合図《あいず》した。

「どうなんだよ、はっきりさせてくれよ!」

と、きゅうに、洋太《ようた》くんが秀治《ひでじ》にいった。

「おまえ、ほんとに、あいつらに借《か》りがあるのか?」

こうふんして、声《こえ》がふるえている。

秀治《ひでじ》は答《こた》えない。

「どうなんだよ、あんなちんぴらに、なんの借《か》りがあるんだよ! いくらあるんだよ! いえよ、あるんなら、ブラック=キャットのみんなでカンパして、そんなもの、さっさときれいにはらってやるよ!」

洋太《ようた》くんは、くやしそうに、はげしく秀治《ひでじ》のむなぐらをゆさぶった。

秀治《ひでじ》は、されるままになって、答《こた》えない。

「借《か》りなんて、なんにもねえんだよう！」

と、ケンがたまりかねたように、わってはいった。

「あいつら、おれたちが、つきあい悪《わる》くなったもんだから、つっぱってきたんだよ、そんだけだよ。」

「ほんとか？ そんだけのことで、こんなひどいことするのか！」

「おまえらには、わからねえんだ。」

と、ケンが声《こえ》を落《お》とした。

「あいつらとつきあってれば、けっこう楽《たの》しかったしね。だけど、ヒデさんは、ブラック＝キャットのピッチャーになっちゃったし、だから、もう、やばいようなことはやめようって――。」

「くだらねえこというな。」

と、秀治《ひでじ》がにらんだ。

「いいじゃないか。」

と、ケンはなきだしそうになって続《つづ》けた。

「おれだって、そりゃ、楽《たの》しかったけど、へえこらするのはいやだったしね。だけど、あいつらにしてみりゃ、だれかがぬけてくことって、さみしいことなんだよな。ほんとなんだ。――おまえらには、わかんないだろうけどさ。」

「あたりまえだよ、わかってたまるかよ！」

と、洋太《ようた》くんがさけんだ。

「そんなあたりまえのこと、わかるもわからないも、ないよ。」

と、はらだたしそうに声《こえ》をおさえた。

「ブラック＝キャットだって、つぎつぎにぬけてったよ。ガンちゃんなんて、たったひとりになっちゃったんだ。それでも、さみしいだとかなんだとか、なきごとならべてるひまなんかなかったんだ。そうだろ、キャプテン！」

きゅうに、ぼくのほうをふりむいた。

とつぜんだったし、洋太《ようた》くんが、そんなにいろいろブラック＝キャットのこと考《かんが》えてたなんて知《し》らなかったから、ぼくはどきんとしただけで、なにもいえなかった。

洋太《ようた》くんはかまわずに続《つづ》けた――。

「そしてさ、ちゃんと、剛速球《ごうそっきゅう》のピッチャーが、はいってきてくれたんだ。つぶれるどころか、ブラック＝キャットは、もう、スネイクスだってこわくはないんだ！　――それを、あんなやつらになめられて、さみしいだとか、おまえらにゃわからないだとか、――わかってどうするんだよ！　いっしょにちんぴらにでもなれってのかよ！　ふざけるんじゃないよ！」

洋太《ようた》くんは、ドスッドスッと、こぶしをかためてキャッチャーミットをたたいた。

ぼくらは、くやしなみだをうかべた洋太《ようた》くんをちらちら見《み》て、だまりこくっていた。

（洋太《ようた》くん、本物《ほんもの》のキャッチャーになったんだな……。）

ぼくは、どきどきしながら、洋太《ようた》くんの顔《かお》をぬすみ見《み》ていた。

ちょっと前《まえ》までは、心臓《しんぞう》のことといったり、練習中《れんしゅうちゅう》でも、しょっちゅう、ハンカチであせふいたり、そんなことしてた洋太《ようた》くんと、ほんとに同《おな》じ人間《にんげん》なんだろうかと、ふっと思《おも》ったりした。ブラック＝キャットがつぶれかかったときにも、ほんとに心配《しんぱい》したのは、ぼくとガンちゃんくらいのものだと、ずっと思《おも》ってた。

（そうじゃなかったんだ……！）

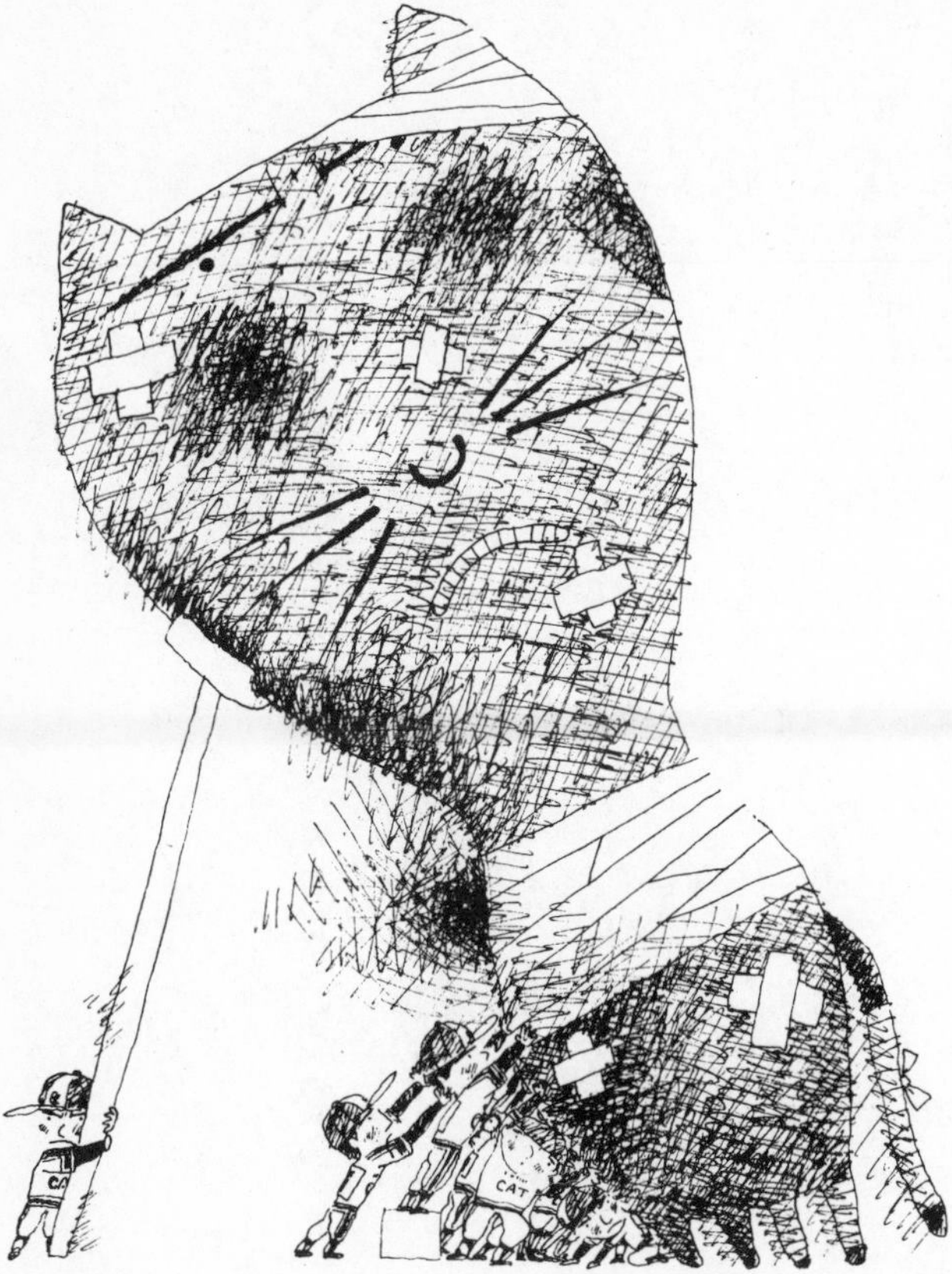
CAT

あたりまえだよな、と思《おも》った。そうでなきゃ、やっぱり、ブラック＝キャットはつぶれてしまってたにちがいないんだ……。

そんなところに、おっちゃんとロクさんとハーコが、かけつけてきた。

「どこのだれだ！」

と、おっちゃんは五、六人《にん》の中学生《ちゅうがくせい》の名《な》まえをあげて、秀治《ひでじ》を問《と》いつめた。

秀治《ひでじ》は答《こた》えなかった。

ケンも、洋太《ようた》くんも、もうなにもいわない。

「しかえしが、こわいのか？　ブラック＝キャットには、もう、指《ゆび》一本《ぽん》ふれさせやしねえよ。あいつらのためなんだ。あいつらだって、あまったれっぱなしで生《い》きちゃいけねえんだから。」

おっちゃんの悪役顔《あくやくがお》が、いっそうおっかなく見《み》えた。

「もう、いいんだ。かんべんしてくれよ、おっちゃん。」

と、ようやく、秀治《ひでじ》が口《くち》を開《ひら》いた。

「あいつら、それほどぐれちゃいないよ。しかえしなんかもしないよ。だれかぬけてくと、ほんと、あせっちゃうんだよ、――それだけなんだ。」

秀治《ひでじ》は、わめきだしそうになるのを、必死《ひっし》でこらえてるみたいだった。

「ブラック＝キャットからぬけてくのとは、ちょっと、ちがうんだ。ほんとに、あせっちゃうんだよな。――もう、かんべんしてくれよ！」

秀治《ひでじ》は声《こえ》をふるわせて、だまりこんだ。

「ぼくは、そういうの、いやだ。」

と、洋太《ようた》くんが鼻血《はなぢ》をぬぐいながら、静《しず》かにいった。

「あいつらの名《な》まえをどうこうってことじゃないけど、ぼくは、きょうのこと、絶対《ぜったい》、ゆるさない。」

「…………。」

「あいつらの気持《きも》ちがわかるとかなんとか、そんなやくざっぽいことも、ぼくは、絶対《ぜったい》、みとめない！」

「…………。」

「とにかくさ、あさってはスネイクスとの決戦《けっせん》なんだからさ、しっかりしてくれよな。」

いうだけいって、気《き》がおさまったとでもいうふうに、洋太《ようた》くんはこだわりのないようすで、ドンと秀治《ひでじ》の左《ひだり》のうでをたたくと、さっさと帰《かえ》りじたくをはじめた。

「その顔《かお》、なんていいわけするんだ?」

と、ぼくがきいたら、

「剛速球《ごうそっきゅう》を受《う》けそこねたとでも、いっとくよ。」

くったくなく、わらった。

「しようがないだろ? しようがないよ、ほんと。まだまともには捕球《ほきゅう》しきれないんだからね。」

そして、大《おお》きな体《からだ》をゆすりながら、ファイト、ファイトと、夕焼《ゆうや》けの土手《どて》をかけのぼっていった。

14　ぼくらはつぶれない

スネイクスとの練習試合《れんしゅうじあい》で、ぼくらは負《ま》けた。

三対《たい》四、さよならゲームだった。

延長《えんちょう》七回《かい》の裏《うら》、一死走者《しそうしゃ》二塁《るい》のチャンスに、スネイクスのキャプテン、山上《やまがみ》くんが、ツースリーから打《う》った。打球《だきゅう》は高《たか》くあがって、ライトにとんだ。それを、ニカちゃんがけんめいに追《お》って、つかんだ。両足《りょうあし》をあげて、あおむけに転倒《てんとう》した。起《お》きあがらない。球《たま》をつかんだグローブのうでだけが、ひょこんとあがった。

「アウト！」と、審判《しんぱん》はこぶしをつきあげた。

歓声《かんせい》の中《なか》を、二塁走者《るいそうしゃ》がタッチアップして、三塁《るい》にむかった。

ニカちゃんは、よろよろと立《た》ちあがったけど、とった球《たま》を、ほこらしげにかかげて見《み》せて、投《な》げ返《かえ》さない。かけよった誠《まこと》が、その球《たま》をうばおうとして、もめていた。そのあいだに、三塁《るい》をまわった走者《そうしゃ》は、ボールも返《かえ》ってこないのに、ホームベースに頭《あたま》からすべりこんで、どろまみれになり、

「ばかか、おまえ。」

と、無念《むねん》そうにまだバットをにぎったままの山上《やまがみ》くんに、どなられていた。

そうして、ぼくらは負《ま》けた。

スネイクス側《がわ》のベンチからは、やっと勝《か》ったか、というようなざわめきが起《お》こっただけだった。拍手《はくしゅ》する者《もの》もいない。監督《かんとく》の、自転車屋《じてんしゃや》のおじさんも、にがりきった表情《ひょうじょう》で、ベンチにすわりこんだままだ。

ぼくらは、全員《ぜんいん》、ライトフライをとったニカちゃんのところにかけよった。

「とったよ、ぼく、とったよ!」

と、ニカちゃんは、目《め》をきらきらさせて、ぼくらにとったボールを見《み》せた。

「ニカちゃん、タッチアップのこと、まだ知《し》らないんですよ。」

と、誠《まこと》がもうしわけなさそうに、ため息《いき》をついた。

だけど、いまのニカちゃんには、そんなことは問題《もんだい》じゃなかった。練習試合《れんしゅうじあい》とはいっても、本式《ほんしき》の試合《しあい》に初出場《はつしゅつじょう》して、生《う》まれてはじめてがっちりとつかんだ球《たま》に、すっかりこうふんしてるんだ。

「ホームラン性《せい》のあたりだったのによ、よくとってくれたよ。」

と、秀治《ひでじ》がニカちゃんの頭《あたま》をゆさぶった。中学生《ちゅうがくせい》たちになぐられた顔《かお》が、まだはれていて、表情《ひょうじょう》はよくわからなかったけど、秀治《ひでじ》がほんとにうれしそうなのは、よくわかった。

「そうさ、タッチアップなんて、どうだっていいよ！」

ぼくらは口々《くちぐち》にいって、にこにこしてるニカちゃんを、その場《ば》でわっしょいわっしょいと胴《どう》あげした。

ニカちゃんのお母《かあ》さんは、仕事《しごと》を休《やす》んで、わざわざ応援《おうえん》にきてたんだけど、ハンカチで目《め》や鼻《はな》や口《くち》や、あちこちふきながらとびだしてきて、ありがとう、となんべんもいいながら、おまつりさわぎをしてるぼくらのまわりを、おろおろと歩《ある》きまわっていた。

審判《しんぱん》に注意《ちゅうい》されて、ようやくもどってあいさつが終《お》わったら、

どらねこ　ぼろねこ　つぶれねこ

万年《まんねん》びりけつ……

と、スネイクスは、はやしたてはじめたけど、やっとの思《おも》いでやってるって感《かん》じだった。

とかなんとかいうあたりは、ケンとハーコのひきいるちびっ子応援団《こおうえんだん》のやじにかき消《け》されて、ぜんぜんきこえない。

「どうだ、自信《じしん》ついたか。」

ゴロさんは、ベンチでぷかあと、たばこをふかしてた。

おっちゃんは、みんなが大勢《おおぜい》見てるのに、

「よくやった。よくやった。」

と、おおっぴらに、くしゃん顔《がお》になっちゃってた。

秀治《ひでじ》のお父《とう》さんも、ちょっと顔《かお》をだしてたけど、みんなにしきりに頭《あたま》をさげて、てれくさそうに、すぐもどっていった。

おとなや、ちびっ子応援団《こおうえんだん》でごったがえすベンチには、ブラック＝キャットの旗《はた》が、も

のほしざおの先《さき》で、ゆれていた。

ハーコが、ひそかに作《つく》ってくれていたもので、その日《ひ》の朝《あさ》、ものほしざおといっしょに、ブラック＝キャットにプレゼントしてくれたのだった。一メートル四方《しほう》くらいの緑《みどり》の旗《はた》だ。白《しろ》ぬきの中央《ちゅうおう》の円《えん》いっぱいに、まるくデザインした黒《くろ》のにゃんこが、にこっとしてる。

その旗《はた》の下《した》で、ぼくらはかたく円陣《えんじん》を組《く》み、ファイト！をくり返《かえ》した。

解説《かいせつ》……読《よ》み手《て》の心《こころ》をゆさぶる物語《ものがたり》と登場人物《とうじょうじんぶつ》

佐藤涼子《さとうりょうこ》
（児童図書館研究会会員《じどうとしょかんけんきゅうかいかいいん》）

この本《ほん》の著者《ちょしゃ》、後藤竜二《ごとうりゅうじ》が、北海道《ほっかいどう》の農村《のうそん》を舞台《ぶたい》にした作品《さくひん》『天使《てんし》で大地《だいち》はいっぱいだ』（講《こう》談社《だんしゃ》児童文学新人賞《じどうぶんがくしんじんしょう》受賞《じゅしょう》）で、児童文学作家《じどうぶんがくさっか》としてさわやかにデビューしたのは一九六七年《ねん》だった。

その年《とし》、私《わたくし》はちょうど二十歳《さい》で、出版《しゅっぱん》されたばかりの『天使《てんし》で大地《だいち》はいっぱいだ』を友人《ゆうじん》から借《か》りて読《よ》んだ。自分《じぶん》の将来《しょうらい》について思《おも》い悩《なや》む年《とし》ごろであったから、同《おな》じく北海道《ほっかいどう》に生《う》まれた著者《ちょしゃ》が、大学在学中《だいがくざいがくちゅう》に書《か》いたという児童文学《じどうぶんがく》の中《なか》で、何《なに》を描《えが》こうとしたのか、とても興味《きょうみ》があった。どういうわけか、むきになって読《よ》んだことを、いまでもはっきりおぼえている。

読《よ》み終《お》えて、土《つち》とか風《かぜ》とか光《ひかり》とかがあたえてくれる、やすらぎと同質《どうしつ》の世界《せかい》をたしかに感《かん》じながら、一つのいらだちを消《け》しかねていた。それは、東京《とうきょう》の大学《だいがく》に三年間《ねんかん》いき、中退《ちゅうたい》していまは農《のう》家《か》の仕事《しごと》を一生懸命《しょうけんめい》やっているという、主人公《しゅじんこう》サブの兄《にい》さんのノブに対《たい》してだった。ノブさんが、私《わたくし》にはうさんくさかった。そして、そのことがこだわりとなり、後藤竜二《ごとうりゅうじ》という作家《さっか》にひかれる理由《りゆう》となった。

いまから考《かんが》えてみれば、ノブさんの形象化《けいしょうか》に問題《もんだい》があったというのではなく、北海道《ほっかいどう》にアイデンティティ（自己《じこ》の存在証明《そんざいしょうめい》）を求《もと》めようとする著者《ちょしゃ》のある雰囲気《ふんいき》を感《かん》じ、その雰囲気《ふんいき》がノブさんに仮託《かたく》されたような勝手《かって》な思《おも》いこみでいらだったのかもしれない。ストーリーで後藤竜二《ごとうりゅうじ》のアイデンティティを確立《かくりつ》しなければダメでしょと、まだ若《わか》かった私《わたくし》は、口《くち》をとがらせていたのだろう。ともあれ、この青《あお》い鳥文庫《とりぶんこ》に、『天使《てんし》で大地《だいち》はいっぱいだ』が選《えら》ばれている。ぜひ読《よ》んでほしい一さつである。

『天使《てんし》で大地《だいち》はいっぱいだ』のほぼ十年後《ねんご》の一九七六年《ねん》、圧政《あっせい》に苦《くる》しむ南部《なんぶ》の国《くに》の百姓衆《ひゃくしょうしゅう》の決起《けっき》を描《えが》いた、『白赤《しろあか》だすき小《こ》○《まる》の旗風《はたかぜ》』（講談社《こうだんしゃ》）が出版《しゅっぱん》され、日本児童文学者協会賞《にほんじどうぶんがくしゃきょうかいしょう》を受賞《じゅしょう》した。

そして、この本《ほん》あたりから、後藤竜二《ごとうりゅうじ》の文体《ぶんたい》はとてもシンプルになってきた。一口《ひとくち》にシンプルといっても、そうであるためには作家《さっか》としての力量《りきりょう》がいっそう要求《ようきゅう》される。行間《ぎょうかん》に書《か》きこまれたことばがあってはじめて、シンプルとなり得《う》るからだ。

シンプルさとともに、アイデンティティの追《お》い方《かた》も、後藤竜二《ごとうりゅうじ》という一個《こ》の人間《にんげん》をはなれ、作中人物《さくちゅうじんぶつ》によってなされるようになった感《かん》がある。作中人物《さくちゅうじんぶつ》にアイデンティティがあるということは、物語《ものがたり》が「ほんとうにあった話《はなし》」になるということだ。『白赤《しろあか》だすき小《こ》○《まる》の旗風《はたかぜ》』のずしりとした読後感《どくごかん》は、このことをうらづけてくれる。なかなかいいんでないかい、と故郷《ふるさと》のことばが口《くち》をつく。

一九七九年《ねん》、この『キャプテンはつらいぜ』（講談社《こうだんしゃ》）が出版《しゅっぱん》され、続《つづ》いて『キャプテン、らくにいこうぜ』（一九八一年《ねん》）、『キャプテンがんばる』（一九八二年《ねん》）が、キャプテンシリーズとして刊行《かんこう》された。キャプテンシリーズが先《さき》にあげた、『天使《てんし》で大地《だいち》はいっぱいだ』や『白赤《しろあか》だすき小《こ》○《まる》の旗風《はたかぜ》』と大《おお》きくちがう点《てん》は、いま毎日《まいにち》を送《おく》っている子《こ》どもたちと、彼《かれ》らの周囲《しゅうい》の大人《おとな》たちが描《えが》きだされていることだ。どんな時代《じだい》であれ、作品創造《さくひんそうぞう》のたいへんさにかわりはないだろうが、現代《げんだい》をテーマにすることは、我《わ》が身《み》をさらすしんどさがあるように思《おも》われる。がんばったな、と思《おも》う。

『キャプテンはつらいぜ』をはじめて読《よ》んだとき、あっ、いいなあ、と思《おも》った。それから何度《なんど》か読《よ》んだが、やっぱり読《よ》むたびに、あっ、いいなあ、と思《おも》う。

いいなあと思《おも》ったのは、まず、物語《ものがたり》が確《たし》かにあって、登場人物《とうじょうじんぶつ》が書《か》かれた人数分《にんずうぶん》だけ、確《たし》かに存在《そんざい》していることだ。あたりまえのことのようだが、このあたりまえのことをきちんと書《か》ける作《さっ》家《か》は意外《いがい》に少《すく》ない。物語《ものがたり》が確《たし》かにあるということは、読者《どくしゃ》が物語《ものがたり》に心《こころ》をあずけられるということだ。

登場人物《とうじょうじんぶつ》が書《か》かれた人数分《にんずうぶん》だけ確《たし》かに存在《そんざい》しているということは、主人公《しゅじんこう》、脇役《わきやく》を問《と》わず、大人《おとな》か子《こ》どもかを問《と》わず、登場人物《とうじょうじんぶつ》の一人一人《ひとりひとり》の家庭《かてい》の歴史《れきし》や現在《げんざい》が、読者《どくしゃ》に見《み》えてくるということだ。思《おも》いもかけずブラック＝キャットのキャプテンにさせられた勇《ゆう》をはじめ、秀治《ひでじ》やハーコやニカちゃん、ゴロさんやおっちゃん、花屋《はなや》のロクさん……。一人一人《ひとりひとり》が見《み》えてくるということだ。

それから、もっといいなあと思《おも》ったのは、物語《ものがたり》と登場人物《とうじょうじんぶつ》が、読《よ》み手《て》の心《こころ》をぐいぐいゆさぶってきてくれることだ。「人間《にんげん》やってるの、やっぱり悪《わる》くはないなあ。」といったことばを、ぽっつりマジにいいたくなる、そんな気持《きも》ちにさせてくれることだ。秀治《ひでじ》を麦塾《むぎじゅく》にさそってことわられた勇《ゆう》が、「ほんと、いいこぶっちゃって、くだらないこと、べらべらしゃべっちまった！」と、かっかしながら、なお秀治《ひでじ》に関《かか》わっていくのを、いつかひっそり応援《おうえん》している自分《じぶん》に気《き》づかされることだ。

それから、もっともっといいなあと思《おも》ったのは、この本《ほん》なら、あまり本《ほん》が好《す》きでない子《こ》から、うんと本《ほん》が好《す》きな子《こ》にまで、「この本《ほん》おもしろいよ。」と、すすめられることだ。

読《よ》み手《て》がアイデンティティを、その中《なか》に見《み》いだそうとする物語《ものがたり》を、後藤竜二《ごとうりゅうじ》は書《か》きはじめたのかもしれない。キャプテンシリーズの続編《ぞくへん》をぜひ、と願《ねが》っている。

＊著者紹介

後《ご》藤《とう》竜《りゅう》二《じ》

1943年，北海道美唄市に生まれる。1966年，早稲田大学卒業。同年，「天使で大地はいっぱいだ」が講談社児童文学新人賞佳作に入選する。「大地の冬のなかまたち」で野間児童文芸推奨作品賞，「白赤だすき小《こ》○《まる》の旗風」「少年たち」で日本児童文学者協会賞を受賞（以上，講談社）。「故郷」（偕成社）で旺文社児童文学賞を受賞する。おもな著書に「風のまつり」「風にのる海賊たち」（以上，講談社），「くさいろのマフラー」（草土文化）などがある。

＊画家紹介

杉《すぎ》浦《うら》範《はん》茂《も》

1931年，愛知県に生まれる。東京芸術大学図案科卒業。製薬会社の宣伝部，デザイン会社などを経て独立。グラフィックデザインや，イラストレーションなどで活躍。絵本に，「まつげの海のひこうせん」（偕成社），「かぜひきたまご」（講談社）などがある。1985年，永年にわたる児童書のイラストレーションで独自の画境を築いたことに対して芸術選奨文部大臣新人賞を受賞。

講談社 青い鳥文庫　12-3

キャプテンはつらいぜ

後《ご》藤《とう》竜《りゅう》二《じ》

1985年7月10日　第1刷発行
2005年2月7日　第45刷発行

（定価はカバーに表示してあります。）

発行者　野間佐和子

発行所　株式会社講談社

東京都文京区音羽2－12－21　郵便番号112-8001

電話　出版部　(03)5395-3536
販売部　(03)5395-3625
業務部　(03)5395-3615

N.D.C. 913　212p　18cm

装　丁　久住和代

印　刷　図書印刷株式会社

製　本　図書印刷株式会社

ISBN4-06-147024-8

（落丁本・乱丁本は，購入書店名を明記のうえ，講談社書籍業務部あてにお送りください。送料小社負担にておとりかえします。）

■この本についてのお問い合わせは，講談社児童局「青い鳥文庫」係にご連絡ください。

あなたのポケットに名作を！

コロボックル物語

佐藤さとる／作　村上　勉／絵

だれも知らない小さな国
豆つぶほどの小さないぬ
星からおちた小さな人
ふしぎな目をした男の子
コロボックル童話集
小さな国のつづきの話

モモちゃんとアカネちゃんの本

松谷みよ子／作

ちいさいモモちゃん　菊池貞雄／絵
モモちゃんとプー　菊池貞雄／絵
モモちゃんとアカネちゃん　菊池貞雄／絵
ちいさいアカネちゃん　菊池貞雄／絵
アカネちゃんとお客さんのパパ　いせひでこ／絵
アカネちゃんのなみだの海　いせひでこ／絵

クレヨン王国シリーズ

福永令三／作　三木由記子／絵

クレヨン王国の十二か月
クレヨン王国の花ウサギ
クレヨン王国いちご村
クレヨン王国のパトロール隊長
クレヨン王国の白いなぎさ
クレヨン王国七つの森
クレヨン王国なみだ物語
クレヨン王国月のたまご(1)～(8)
クレヨン王国からきたおよめさん
クレヨン王国まほうの夏
クレヨン王国春の小川
クレヨン王国の赤トンボ
クレヨン王国新十二か月の旅
クレヨン王国黒の銀行
クレヨン王国森のクリスマス物語
クレヨン王国水色の魔界
クレヨン王国王さまのへんな足
クレヨン王国109番めのドア(1)(2)
クレヨン王国デパート特別食堂
クレヨン王国幽霊村へ三泊四日
クレヨン王国シルバー王妃花の旅
クレヨン王国超特急24色ゆめ列車
クレヨン王国ロペとキャベツの物語
クレヨン王国とんでもない虹
クレヨン王国12妖怪の結婚式
クレヨン王国カメレオン別荘村
クレヨン王国茶色の学校(1)(2)
クレヨン王国タンポポ平17橋
クレヨン王国三日月のルンルン(1)(2)
クレヨン王国しっぽ売りの妖精
クレヨン王国スペシャル夢のアルバム
クレヨン王国の四土神
クレヨン王国道草物語
新クレヨン王国千年桜五人姉妹

日本の名作＆創作

二十四の瞳　壺井　栄
次郎物語(上)(下)　下村湖人
怪人二十面相　江戸川乱歩
坊っちゃん　夏目漱石　福田清人／編
吾輩は猫である(上)(下)　夏目漱石

講談社 青い鳥文庫

杜子春・トロッコ・魔術　芥川龍之介
走れメロス　太宰治
注文の多い料理店　宮沢賢治
風の又三郎　宮沢賢治
銀河鉄道の夜　宮沢賢治
よだかの星　宮沢賢治
おーい でてこーい　星新一
ひとつの装置　星新一
少年H(上)(下)　妹尾河童

※

龍の子太郎　松谷みよ子
ふたりのイーダ　松谷みよ子
霧のむこうのふしぎな町　柏葉幸子
地下室からのふしぎな旅　柏葉幸子
天井うらのふしぎな友だち　柏葉幸子
ふしぎなおばあちゃん×12　柏葉幸子
りんご畑の特別列車　柏葉幸子
かくれ家は空の上　柏葉幸子
キャプテンはつらいぜ　後藤竜二
キャプテン、らくにいこうぜ　後藤竜二
キャプテンがんばる　後藤竜二
宇宙人のしゅくだい　小松左京
アイシテル物語(1)〜(5)　かしわ哲

いちご(1)〜(5)　倉橋燿子
青い天使(1)〜(9)　倉橋燿子
ペガサスの翼(上)(中)(下)　倉橋燿子
ホーリースクール(1)〜(5)　倉橋燿子
星のかけら(1)〜(3)　名木田恵子
天使のはしご(1)〜(5)　名木田恵子
バイバイスクール 学校の七不思議事件　はやみねかおる
そして五人がいなくなる　はやみねかおる
亡霊は夜歩く　はやみねかおる
消える総生島　はやみねかおる
魔女の隠れ里　はやみねかおる
踊る夜光怪人　はやみねかおる
機巧館のかぞえ唄　はやみねかおる
ギヤマン壺の謎　はやみねかおる
徳利長屋の怪　はやみねかおる
人形は笑わない　はやみねかおる
「ミステリーの館」へ、ようこそ　はやみねかおる
怪盗クイーンはサーカスがお好き　はやみねかおる
パスワードは、ひ・み・つ　松原秀行
パスワードのおくりもの　松原秀行
パスワードに気をつけて　松原秀行
パスワード謎旅行　松原秀行
パスワードとホームズ4世　松原秀行

続・パスワードとホームズ4世　松原秀行
パスワード謎ブック　松原秀行
パスワードVS.紅カモメ　松原秀行
パスワードで恋をして　松原秀行
パスワード龍伝説　松原秀行
パスワード魔法都市　松原秀行
パスワード春夏秋冬(上)(下)　松原秀行
ねらわれた街　あさのあつこ
闇からのささやき　あさのあつこ
私の中に何かがいる　あさのあつこ
時をこえるSOS　あさのあつこ
ドルオーテ　斉藤洋
ゲーム・ジャック 危機一発!　ひろたみを
ゲーム・ジャック 絶体絶命!　ひろたみを
三日月の輝く夜は　西川つかさ
悪魔はやさしい笑顔でやってくる　西川つかさ
カードゲームの罠　石崎洋司
カードゲームの呪い　石崎洋司
坊っちゃんは名探偵!　楠木誠一郎
ご隠居さまは名探偵!　楠木誠一郎
消えた赤ちゃん救出大作戦!　那須正幹
紫屋敷の呪い　那須正幹
猫の鼻十三墓の秘密　那須正幹

「講談社《こうだんしゃ》 青《あお》い鳥文庫《とりぶんこ》」刊行《かんこう》のことば

太陽《たいよう》と水《みず》と土《つち》のめぐみをうけて、葉《は》をしげらせ、花《はな》をさかせ、実《み》をむすんでいる森《もり》。小《こ》鳥《とり》や、けものや、こん虫《ちゅう》たちが、春《はる》・夏《なつ》・秋《あき》・冬《ふゆ》の生活《せいかつ》のリズムに合《あ》わせてくらしている森《もり》。森《もり》には、かぎりない自然《しぜん》の力《ちから》と、いのちのかがやきがあります。

本《ほん》の世界《せかい》も森《もり》と同《おな》じです。そこには、人間《にんげん》の理想《りそう》や知恵《ちえ》、夢《ゆめ》や楽《たの》しさがいっぱいつまっています。

本《ほん》の森《もり》をおとずれると、チルチルとミチルが「青《あお》い鳥《とり》」を追《お》い求《もと》めた旅《たび》で、さまざまな体験《たいけん》を得《え》たように、みなさんも思《おも》いがけないすばらしい世界《せかい》にめぐりあえて、心《こころ》をゆたかにするにちがいありません。

「講談社《こうだんしゃ》 青《あお》い鳥文庫《とりぶんこ》」は、七十年《ねん》の歴史《れきし》を持《も》つ講談社《こうだんしゃ》が、一人《ひとり》でも多《おお》くの人《ひと》のために、すぐれた作品《さくひん》をよりすぐり、安《やす》い定価《ていか》でおおくりする本《ほん》の森《もり》です。その一さつ一さつが、みなさんにとって、青《あお》い鳥《とり》であることをいのって出版《しゅっぱん》していきます。この森《もり》が美《うつく》しいみどりの葉《は》をしげらせ、あざやかな花《はな》を開《ひら》き、明日《あす》をになうみなさんの心《こころ》のふるさととして、大《おお》きく育《そだ》つよう、応援《おうえん》を願《ねが》っています。

昭和《しょうわ》五十五年《ねん》十一月《がつ》

講談社